伝わる・揺さぶる！文章を書く

山田ズーニー
Yamada Zoonie

PHP新書

伝わる･揺さぶる! 文章を書く

目次

プロローグ 考えないという傷

考える方法がわかれば、文章は生まれ変わる

第1章 機能する文章を目指す

いい文章を書くとは、どういうことか?

第2章 7つの要件の思考法

書くために、何をどう考えていくか?

実践4　志望理由（自薦状）を書く

実践5　お詫びをする

実践6　メールを書く

第4章　より効果を出す！　テクニック——上級編

Lesson 1　引きの伝達術

Lesson 2　動機をつくる

プロローグ

考えないという傷

考える方法がわかれば、文章は生まれ変わる書くことは考えることだ。だから、書くために必要なことを、自分の頭で考える方法がわかれば、文章力は格段に進歩する。

では、あなたは暗記と応用ではなく、「自分の頭でものを考える方法」を習ったことがあるだろうか？

ある日私は、大学院生からこんなＥメールをもらった。

アルバイトで受験生の個人指導をしていますが、彼らが、自主的に“考える”ことを放棄して、その結果、苦しんでいるように見えてしかたありません。学習のみにとどまらず、自己発見や進路についても。苦しんでいることを自覚していれば、まだ良いと思います。“なんとなく”で生きている子たちこそ、いま受けている傷は深いのでは、と胸を痛めています。

何ごともあまり考えない、考えてないことにさえ気づかない人は、一見オメデタイ人のように思えるのだが、実は深く傷ついている。

「考えない」というのは、自然天然の状態ではなく、実は、不自由なことではないだろうか。

私は、教育誌編集者という立場で高校生に文章指導をする中で、しばしば、この「考えない不自由」を、目にしてきた。

「思っていることが書けない、苦しい」と、自分から訴えてくる生徒はまだいい。その痛みには可能性が感じられる。

だが、大きな葛藤もなく字数を埋め、その人自身が反映されていない文章に出会うとき、こちらまで何とも言えない不自由な気持ちになる。

彼らに教えなければならないことは、価値観ではない。センスでもない。たった1つ、自分の頭でものを考えるための具体的な方法なのだ。

それは、これから本書を踏み台に、文章力を伸ばそうとするあなたにも言える。あなたにまず必要なのは、天性の表現力でも、センスでもない。書くための要件を自分の頭で考えるための、現実的でちょっとした方法なのだ。ちょっとした方法で、文章がどのくらい変わるか、まず、実際にあった例で見てみよう。

以下の実例は、17歳、入試と、ずいぶんあなたの書くシーンとは違うと思うかもしれない。しかし、広く一般にあてはめて有効な、文章を書く秘訣（ひけつ）が隠されている。

とりあえず、とりあえず、とりあえず……

それは、何人かの高校生に入試を題材に、文章を書いてもらった時のことだった。問題の主旨は、次のようなものだ。

「他人ごとでなく、まさに自分の問題としてあなたが切実に受けとめるのはどんなことですか。あなたの肚（はら）の中から発する言葉で述べなさい」

（山口大学人文学部小論文入試問題から）

マスコミの受け売りや一般論を許さず、その人の本心が観たいという問題だ。

さっそくあがってきた文章を見ていくうちに、ある奇妙な文章に目がとまった。わずか600字の中に「とりあえず」が頻発しているのだ。内容をかいつまんで言うと、次のようになる。

私が切実に受け止めることと言ったら、自分の将来についてです。ひとまず私にとって今気がかりなのは、近い将来です。人生には、とりあえず、今思いうかべるだけでも、大学進学、入社、結婚、老後など一大イベントがありますが、今は、とりあえず、大学進学のことが切実に感じられます。人生だって、1つひとつ、目の前にあることから順に片付けていくべきだと思うからです。

学歴がすべてではないと思うけれど、とりあえず、一流の企業にでも入りたいならば、やはり高学歴を目指すことがてっとり早いと思われます。今は、とりあえず、自分の目の前にある問題から解消していこうと思います。

私は、二重にふさがれた気持ちになった。

1つは、いい大学、いい企業へ入って人生をてっとり早く片付けていく、そんな消化試合のような人生観を持った17歳がいるということだ。

もう1つは、たとえ本音だったとしても、入試でこういう考えをあけすけに書けば、大学側はどう思うか、ちょっと考えればわかることだ。そんな関係性さえ、この子には想像できないのか、ということだ。

この時は、担当していた教育誌で、つまずきを抱えた文章を指導し、生徒自身に改作してもらおうという企画だったので、迷わずこの文章を選んだ。入試では、真っ先にはねられるだろう。

2時間で文章は生まれ変わるか？

これを書いた女の子が地方にいることなど考えて、彼女に会えるのは１回、それも２時間程度しかなかった。その中で、何らかの効果的な指導を行わなければならない。

いったいどんな指導を行えば、この文章を引き上げられるのだろう？　あなたが、ひと言だけこの子にアドバイスするとしたら、何と言うだろう？

私は、まず、３人の文章指導のスペシャリストに意見を聞くことにした。

最初に訪ねたのは、予備校の先生。結論は、「無理」だった。２つ理由があった。文章が下手でも、形になっていなくても、何か書きたいことが汲み取れる文章は、いくらでも引き上げようがある。だが、そういうものがまったくない文章は、つるつるして引っかかりようがない。また、この子には「外がない」。つまり、外側から自分の文章を見る客観性がない。短時間でそれに気づかせるのは至難の技だろう、ということだった。

２番目に相談に行ったのは、高校の先生。現場で、進路から人生まで、数々の生徒を指導してきただけに結論も厳しかった。「この子の価値観そのものに揺さぶりをかけ、一度打ち壊すくらいのことをしないと、この子は変わらない」。

私は、この文章を選んだことを後悔しはじめていた。もう、文章指導の範囲を超えているような気がした。実は、この子に会うための電話のやりとりで、お母さんがちょっと厳しい方だなあ、とも感じていたのだ。もしかしたら、親子関係と、この文章のつまずきと、何か関係があるかもしれない。だとしたら、第三者が軽々しく口を出すべき問題ではない。

生き方に踏み込まないとして、2時間やそこらの表面的な指導で、この文章は変わるだろうか？　はなはだ意味のないことに思われた。

では、生き方に踏み込んで彼女と話し合ったとして、2時間ぐらいで彼女の人生観が変わるだろうか？

半ば諦めかけて、私は3人目、やはり高校の先生に会いに行った。その先生も最初は困惑していた。

「この入試問題は、あなたの心の叫びが聞きたいというようなものだ。そんな問いかけに対し、“とりあえず”は、居酒屋でおやじが“とりあえずビール”っていう、考えるのが面倒な時に使う言葉だ。その感覚で将来を語り、切実な問題を語るのか……」

長いやりとりの後、答案を睨(にら)んでいた先生の顔がちょっと変わった。

「まてよ。学歴がすべてではないが、一流企業に行きたいなら、とりあえずいい大学を目指せっていうのは、世間がよく言っていることだ。残念だが、今までの世の中はこの通りなんだよ。この子はそれをちゃんと受け取って、反抗するわけでも、世の中をナナメに見るわけでもなく、その通りちゃんとやっていこうとしている。もしかしたら、とても素直ないい子かもしれない。求められていることがわかってないだけかもしれない」

その可能性にかけて、私が最終的に立てた指導方針は、次のたった2つだった。

1. この入試問題で、何が求められているか？　正しく押さえてもらう。
2. それについて、自分の頭でどう考えていくか？
　その方法をサポートする。

「なーんだ、そんなことか」と、あなたは思うだろう。そう、とりたてて新しいことはない、問題の読み方と考え方のキソだ。基本を徹底して行い、生き方や価値観への踏み込みはいっさいしないと決めて、私は彼女に会うため飛行機に乗った。

初めて会った彼女は、明るく、素直で、とてもかわいらしい女の子だった。

この子の文章がどこまで変わるか、今からの2時間にかかっている。

自分の立場を発見する

彼女には、「何を書くことが求められているのか」を、自分で、正しく深くつかむことから始めてもらった。読み手の要求から外れた所で、いかにいい文章を書いても虚(むな)しい。

この入試問題には、資料としてやや長めの文章がついている。ということは、彼女が書くシーンに、少なくとも、3人の人間がいるということだ。

- 彼女自身
- 資料文の筆者
- 問題を出した大学の人（彼女の文章の読み手）

この3者の関係の中で、次のことを彼女自身の言葉で言えるようにしてもらう。

- 資料文の筆者が本当に言いたいことは何か？
- 大学側は、そういう資料文を読ませることで、自分に何を求めているのか？
- 結局、自分には、何と何について考え、書くことが求められているのか？

資料文を読んでから文章を書く場合、筆者に共感したり、反発したりと、つい筆者と自分の対決になりがちだが、そのやりとりをじっと眺めている大学側、つまり、最終的な読み手が何を求めているかを忘れてはいけない。

まず、筆者という1人の人間に出逢うつもりで、とことん資料文を読み込んでもらった。1段落読んでは、要するに筆者は何が言いたいのか、自分の言葉で言いかえたり、自分の体験から具体例を引いたり、図に書いたりしてもらった。「読み」といっても、とても能動的な作業だ。次に、大学側は、なぜ、彼女にこういう資料文を読ませたのか、ねらいを考えてもらった。最後に、設問に線を引きながら読んでもらい、何と何が求められているのかを言ってもらった。実に淡々と進行した。

約1時間かけて、自分と筆者と大学の関係、その中で自分に求められていることをつかんだとき、彼女は、「せめぎあう、切実な想いを書くことが求められているのに、私の文章では、ぜんっぜん！切実さが伝わってきませんね」と自分で言った。彼女の答案の問題点を、私が指摘する必要は、もはや、なかった。

残るは1時間。あとは、彼女が自分で考えていく方法をサポートするのみだ。

考えない、という迷路の出口

ふたたび彼女の文章に戻ってその論理を追ってみる。

私が切実に受けとめることは何か？→自分の将来

⇩

どうするか？→目の前から順に片付ける

⇩

なぜか？→てっとり早いから

⇩

自分の将来をどうするか？→目の前の問題から解消

レコードは傷が入っていると、何回も同じところを再生してしまう。同様に彼女の論理は同じところをクルクル回って一向に前へ進んでいない。考えない傷……、考えることを放棄して、その結果苦しんでいる、という冒頭の言葉を体現したような文章だ。

このような状態のところへ、「あなたの価値観はまちがっている」と否定することや、大人の人生論をぶつことに、どれだけ効果があるのだろう。出口のない人間をますます追い詰めることにならないだろうか？

考えない迷路から出るには、自分で考える以外にない。彼女に必要なのは、そのための「具体的な方法」だ。

彼女はなぜ、「とりあえず」を頻発しなければならないほど、考えるのをおっくうに感じたのだろうか？

1つには、いきなり大きすぎる問いに向かったせいだと思う。
「自分にとって切実な問題は？」と聞かれて、即答できる人はどれくらいいるだろうか。ポンと答えが出たとしても、存外、陳腐なものになってしまうのではないか。

文章も同じ。大問題にいきなり結論を出そうとすると、考えるのが面倒になるか、陳腐な結論になるか。そうして書くことがいやになってしまう。

こういう時は、「答え」ではなく、「問い」の方を探すことだ。つまり、1つの大きな問題を考えるために、有効な、具体的で小さな「問い」をいくつも作って、自分にインタビューすることで、考えは前に進む。

この日は、まず、見本として私がいくつかの「問い」を用意して、彼女にインタビューすることから始めた。こんな具合だ。

- あなたが、ぼーっとしている時などに、ついつい考えてしまうことは何か？
- 夜寝るときに、考え出したら眠れなくなったようなことはあるか？　どんなことか？
- 最近、腹を立てたことはあるか？　なぜか？
- これまでの人生で、自分が一番イキイキしていたのはどんなときか？
- 一番苦しかったことは？
- 進路はどう考えているか？　それはどのように決めたか？

- いまの世の中で、問題だと思うことは？
- あなたが「とりあえず」ですませられないことは？

「切実な問題」という大きな問いに近づくために、現在・過去・将来、彼女の内面・身の回り・社会と、角度を変えて次々に小さな「問い」を作っては、彼女に投げかけ、彼女が答え、その答えた内容にさらに問いかける、ということを約1時間繰り返した。

進路の話になったとき、彼女にはやりたいことがあり、一方、親は、その進路では就職がないという。自分の興味と、親が勧める進路が違って、せめぎあう、と言った。彼女は、周囲の期待に合わせようとしていたのだ。

彼女の考えが止まるポイントはここだと思った。「片付ける」「解消する」という言葉で人生を語る原因も。

そのときばかりは、私は、「親が勧める進路より、自分のやりたいことを大事に考えてほしい、自分の人生でしょ」と言いたかった。でも、気持ちをぐっと飲み込んだ。私の役目は、あくまで考える方法のサポートだ。

彼女には、引き続き、このように自分で問いをつくって、自分にインタビューをしてほしい、ということと、その後で、改作をしてほしいと頼んで、私はその地を後にした。進路にも、親子関係にもいっさい意見することはなかった。

そして1週間後、彼女から改作した文章があがってきた。私は息を飲んだ。こちらから問うこともなかった親子関係を、彼女は主題に据(す)えていたのだ。

自分の頭でものを考える自由

彼女が改作した文章の主旨は次のとおりだ。

私にとって、今、切実なのは、ＰＨＳを持つことを親に許可してほしいということだ。そんなことが切実かと疑う人さえいるかもしれない。だが、理由がある。

私は、今まで17年間、自分の気持ちを表現することが苦手だった。いや、避けてきたといった方がピッタリかもしれない。やりたいこと、欲しいものを主張せず、それでいてイヤなことを断ることをしないイイ子ちゃんとしてやってきたのだ。

最近、自分のソコが嫌だと思い始めた。今、この殻を破らなくては、本当の自分を押し殺してきた自分とサヨナラできない気がする。

だからこそ、ワガママかもしれないという両親への申し訳なさに心を痛めながらも、自分の本当の気持ちを伝えているところだ。

以前の文章よりも、葛藤は大きくなっているにもかかわらず、彼女の文章は、生き生きとしていた。問題解決はまだ先かもしれない。しかし、問題点がつかめたことで、いや、もっと進んで、自分の置かれた状況や問題点を、自分で考える方法を手にしたことで、彼女は極めて自由に見えた。
　最初の文章だけで彼女の人間性を判断していたなら、私は大きな見誤りをしていたことだろう。
　ちょっとした方法を知らないだけで、自分の本心と、自分の書くものが離れてしまい、人から誤解されたり、摩擦が生じたり、ということは、私たちが思っている以上に多いのではないだろうか？
　自分以上にいいものを書く必要はない。しかし、自分以下になってはいけない。だからこそ、書くために必要なのは、「考える」ことだ。

考える方法がわかれば文章は書ける

　暗記学力ではない、自分の頭でものを考える方法を習った人は少ない。私たちは、いざ自分で自由に考えてよいと言われると、不安になる。文章を書くのが苦手という人のほとんどが、どう書くか以前に、何をどう考えていけばよいかで、つまずいている。
　だから、自分を自分らしく外に向かって発現するために、さらに、自分の書いたもので相手を揺り動かすために、「何と何を考えればよいのか」、それらを「どう考えていけばよいのか」を、本書は具体的な方法として提案する。ちょっとした方法を手に入れるだけで、あなたの文章は確実に進歩するだろう。
　ただ、方法を手にしても、考えることは、もともと孤独で辛い作業だ。考えて、問題点がはっきりしたとしても、それは予想以上に厳しい現実かもしれない。例えば、想像以上の相手との距離、非力な自分の立場、これが自分かと疑うような本心に気づくことになるかもしれない。

しかし、それでも思考を前にすすめたとき、見えてくるのは、他のだれでもない「自分の意志」だ。

さらに、自分の意志を書き表わすことによって、人の心を動かし、望む状況を切り開いていけるとしたら、こんなに自由なことはない。本書を踏み台に、そういう自由をあなたに味わってほしい。

第1章 機能する文章を目指す

いい文章を書くとは、どういうことか?

Lesson 1　目指すゴールを確認する

あなたは、これから着実に文章力を伸ばしていけるとしたら、1年後あるいは3年後、どんな文章が書けるようになっていたいだろうか。そもそも「いい文章」とは何か？　「いい文章を書く」とはどういうことか？

例えば、「絵」とひと口に言っても、ピカソが描く芸術性の高い絵画と、「あなたの胃はここが弱っています」と医者が患者への説明のために描く絵は、ゴールがまったく違う。

文章だってそうだ。よく「文章」とひとくくりにされるが、種類によって、ゴールも、良いか悪いかの基準も、トレーニング方法も、まったく違う。

小論文を例に挙げてみよう。目指すゴールは「説得」だ。論理的思考力で評価される。小論文で情感や余韻をねらおうとすると、説得というゴールにたどり着けない。

一方、作文を、すみずみまで論理で整理すると、せっかくの味わいが死んで、「豊か」とは縁遠い所に着地する。

もし、小論文で試験をパスしたい人がいたなら、小論文とは何かを知り、それに見合ったトレーニングをしなければ合格できない。作文や小説の指導を受けてしまったなら、逆のナビゲーションを受けたことになる。小説なら「起承転結」の「転」で見せる鮮やかな飛躍が、面白いと評価される。しかし、小論文では例えば、「問題提起→原因分析→解決の要件……」のように、論理的に思考を積み上げることが基本だ。飛躍は論理の逸脱になりかねない。

だから、この第１章ではあなたと、本書が目指す文章のゴールを確認したい。

よく働いて結果を出す文章

川崎市の48歳の女性が、40歳を上限にしている企業に採用されたと、日経夕刊にあった。

近年、フリーターや派遣社員との競合もあり、パートタイムで再就職を目指す女性に、年齢制限の壁が立ちはだかっている。40歳が求人条件、45歳で門戸をふさぐ企業も少なくない。40代前半の人でさえ、門前払いを受けたと不安の色を濃くする状況で、なぜ、彼女は年齢の壁を破って採用されたのだろう。

彼女は通常の履歴書のほかに、自分の長所を売り込む文章を添えて訴えたのだ。それを読んだ会社側は、「あなたのような人を探していた」と彼女を歓迎した。

彼女の文章は、「状況を動かすために、よく働き、望む結果を出した」ということだ。

就職活動の自己推薦状の場合、いい文章を書くとは、「文章が評価されて、企業に採用されること」以外にないと私は思う。どんなに文章がうまいと褒(ほ)められても、結果、採用されなかったら、いい文章を書いたとは言えない。

あなたの書く文章は、状況に応じて、よく働いてくれるだろうか？　望む結果を出しているだろうか？

例えば、出張のとき、留守中の仕事を後輩に頼むとする。指示書を書く。この場合、いい文章とは、情感や余韻がある文章ではない。やる事・やり方がよくわかり、後輩の、「忙しくてもやろう」という意欲を引き立たせることだ。そして、何より重大なのは、実際に、仕事を正しく代行してもらえるかどうか。つまり、結果だ。もし、仕事が医療なら、文章力は命にさえ関わるかもしれない。「私はちゃんと書いたけど、後輩が忘れっぽい人だったから」では通じない。この場合、いい文章を書くとは、後輩の忘れっぽさを計算に入れて書くことだからだ。

また、ある人が、ある製品を使っていてトラブルが起きる。欠陥製品とまでは言えないが、構造上、同じ事故がおきやすいと思う。メーカーにクレームを書く。この場合のゴールは「言ってやってスカッとした」でも、メーカーを責めることでもない。どうしたら、窓口ではねられず、製作担当者に検討してもらい、次の商品づくりに反映してもらえるか、つまり結果を出すことだ。

今日も、そうした教科書に載らない名文が、どこかで書かれている。おかげで、電車は走り、ビルは建ち、宅配便が届き、世の中がまわっていく。

状況の中で、人との関係性の中で機能し、望む結果を出す文章たち。それらは、花のように美しくはないが、人を動かし、よく状況を切り開く。いわば、機能美の文章だ。

豊かな表現力という幻想

私が、最初に文章の書き方を習ったのは、小学校「こくご」の「作文」だった。そこで求められたのは、ひと言で言って、「豊かな表現力」だったように思う。以降、学校で受けてきた文章教育を振り返ると、詩や物語、小説などの鑑賞が多かった。味わい深い文章、豊かな感情表現、余韻や余情……。そういう教育は、自分の内的世界や、情緒を豊かにしてくれた。とても感謝している。

だが、以降「豊かな表現力」というモノサシを自分でも曖昧（あいまい）なまま、文章全般に当てはめてしまっていた。それで「文章の善し悪しは、とらえどころがないものだ」という、妙な思い込みを長い間持ってしまった。

私が、高校生の文章教育にたずさわるようになっても、しばらくは、この思い込みを持っていた。当時、私だけでなくスタッフや執筆者たちも「文章指導」と言うと、みんな、それぞれの妙な思い入れ、誤解や幻想を持っていたように思う。

だから、文章教育をすると言っても、「発想力を豊かにさせるために生徒に絵を観せなさい」という先生や、テーマに対する先生自身の価値観をあれこれ披露して、あとは、生徒自身の価値観を伸ばしていけと言う先生や、「苦しくてもがんばって書け」というような精神論でいこうとする先生がいて、なかなか指導方針は見えてこなかった。

ところが、文章の「ゴール」、つまり、その文章は、最終的にだれに読まれ、どうなることを目指すのか、に着目すると、驚くほど、いろいろなことが見えてきた。

例えば、「感動」をゴールとする詩や小説と、「説得」

をゴールとする小論文は、180度性質が違うものだと分かる。さらに、大学の授業やビジネスで書く小論文と入試小論文も違うのだ。小論文のゴールは「説得」だが、入試小論文のゴールは「合格」だ。やみくもにいい小論文を書いても、合格はできない。その大学・学部で、求めている能力がある。それをつかみ、それに見合った方向で、見合うレベルまで、努力して到達することだ。

そんな、あたりまえのことに気がついてから、もう、文章指導は、無から有を生むような、茫漠とした仕事ではなくなった。

例えば、入試の小論文対策では、以前は、大人が寄ってたかって問題を分析し、やたら高い水準の模範解答例を作っていた。テーマについての知識も、可能な限り多く生徒に与えようとしていた。

だが、高2生なら2年間で、高3生なら1年間で実力をピークにもってこられないような、美しい理想を掲げても、ゴールの合格には到達しない。まずゴール、つまり最終的な読み手である大学側が、なぜ、どんな力を求めているのか、正しく深く押さえることだ。また、結果が出せた文章、つまり実際に合格した答案を多数読んで、水準や要件を割り出す。それが、この場合のいい文章の条件だ。あとは、ゴールと生徒の現状のギャップを考えて、適切なサポートをすればいい。やることもやる量も、限られてくる。

就職の論文や志望理由書なら、ゴールは「採用」だ。病気の人へのお見舞いの手紙のゴールは、相手が本来持っている「回復力を引き出す」ことだ。

文章の善し悪しは、目指すゴールによって違う。芸術作品はともかく、私たちが、仕事や日常で書く文章は、考えれば、読み手や目指す結果がはっきりしたものが多い。まず、ゴールを明確にすること。そして、ゴールから逆算して必要なことを、必要なレベルまでやればいい。

もし、常に文章が苦手だと逃げている人がいたら、自分に、曖昧、かつ美しい理想を強いていないだろうか？　結果をイメージし、現実の中で、まず結果を出すことを念頭においてみよう。やることは、ずいぶん明確になる。

鑑賞でなく、機能する文章

高校生の文章指導をしつつ、自分自身も仕事で様々な文章を書くようになった私は、今の文章教育に、生活の中で「機能する文章」という領域がすっぽり抜けているのを感じずにはいられなくなった。

例えば、自分のミスで仕事先の人を怒らせてしまった。会ってももらえないから、もうお詫びの手紙を書くしかないというとき、そこで求められるのは、「信頼回復」という「機能」を果たす文章だ。

ところが、学校で学んだ詩や小説の鑑賞や、現代評論、作文の方法では太刀打ちできない。将来、詩や小説を書く子供より、上記のような必要に迫られる子供の方が圧倒的に多いにもかかわらずだ。

一方、実用文書の書き方となると、報告書など、どうしても限られた範囲になってしまう。

この間（あいだ）、つまり、実用以上、芸術未満の領域がないのだ。生きていくための必需品のような文章。「生活機能文」とも、「コミュニケーション文」とも言えるジャンル。本書では、それを扱う。

本書で目指す文章力のゴール

働くために、生きるために、さまざまな必要や問題が生じ、そこに書く目的と読み手が生じる。状況に応じて、目的を果たすために、きちんと機能する文章の書き方を本書で紹介しようと思う。

そういう文章なら、会社員も、先生も、学生も、子供も、ご隠居も、主婦も、実はたくさん書いている。メモ、張り紙、手紙、メール、ファクシミリ、議事録、小論文、連絡、誘い、企画、報告、相談、お願い、ラブレター、お詫び、募集、案内、宣伝、クレーム、注意などなど。それぞれに、読む人がおり、目指す結果がある。

本書が目指す文章力のゴールは、1編の完成された文章をまとめ上げることではない。書くことによって、あなたの内面を発現することにも留まらない。あなたの書いたもので、読み手の心を動かし、状況を切り開き、望む結果を出すこと、それがゴールだ。

結果を出そう。

ポイントとなるのは、読み手の心を動かすことだ。読み手の心が動けば、なんらかのかたちで状況は動き、結果は出る。

だがそれは、自分の意のままに相手を操作することではない。プロローグの17歳を思い出してほしい。私の問いかけは、水に投じた小石のように、彼女の内部で波紋を広げた。やがて振動が大きくなって、彼女の潜在力を彼女自身が揺さぶり起こしたのだ。

つまり、書くことによって、あなたがあなたの潜在力を生かし、読み手を共鳴させることだ。読み手に、共感・納得・発見などの心の動きが生まれれば、やがてそれは読み手の内部で大きな振動となって、読み手自身の潜在力を揺さぶり起こすだろう。そういうふうに人に伝わる、人を揺さぶる文章を目指そう。

ゴールのイメージが湧いたら、次に進もう。

Lesson 2　文章の７つの要件を押さえる

では、状況の中できちんと機能する文章を書くために、何と何を考えていけばいいのだろうか？　そのために、私が必要だと考える７つの要件を挙げておこう。後で具体例を挙げ、詳しい説明をするので、ここでは、ざっと読むだけでいい。

1. 意見

——あなたが一番言いたいことは何か？

文中に、あなたの頭を動かして考えた、あなた自身の見解・意志を明確に打ち出すこと。

2. 望む結果

——だれが、どうなることを目指すのか？

文章が機能した果てに紡（つむ）ぎ出したい状況を、できるだけ具体的に描くこと。

3. 論点

——あなたの問題意識はどこに向かっているか？

論点とは、文章を貫くあなたの問題意識だ。あなた自身と読み手、双方の問題関心から、ずれていない論点であること。また、問題意識が低いと、導き出す結果もそれなりになってしまう。文中にあなたが提起している「問い」は、良い価値を生むものになっていること。

4. 読み手

——読み手はどんな人か？

望む結果を得るために、だれに書けばよいかを考え、最も適切な相手に向けて文章を書くこと。また、その読み手はどんな人かを知り、理解すること。どんな興味・問題関心・背景を持っているか、現在の状況はどうか。あなたの書くものは読み手に、興味を抱かせられるか、どんな意味があるか。読み手にフィットした内容である、もしくは読み手の個人差を超えた普遍的な内容であること。

5. 自分の立場

——相手から見たとき、自分はどんな立場にいるか？

自分は、相手からどのような人物と見られているか。信頼されているならば文章は有効に働き、不信感を持たれていれば効力は低い。結果を出すためには、自分というメディアの信頼性・影響力を上げていかなくてはならない。初対面の相手や、自分との信頼関係がまだない相手なら、頭のところで、相手との関係性をよくする内容や、自分というメディアの信頼性を示す自己紹介を加えるなどの工夫が必要だ。読み手から見た自分の見え方、立場を知り、それに応じた文章対策をすること。

6. 論拠

――相手が納得する根拠があるか？

自分の主張の正当性を示す根拠が、しっかり筋道立てて述べられ、相手にとって納得のいくものになっていること。文章の説得力は「論拠」から生まれる。

7. 根本思想

――あなたの根本にある想いは何か？

根本思想とは、文章の根底にある書き手の価値観・生き方・想いだ。尊敬、侮蔑、感謝、憎しみ、怒り、依存、エゴなど、文章を支える想いは、言葉に書かずとも、如実に表れてしまう。文章は、この点で甘くない。自分の想いや生き方にうそのない文章を書くこと。ネガティブな根本思想を抱えてしまったとき、文章を書き改めても、根本思想が変わらなければ、読み手に与える印象は変わらない。自分の書くものを大きく変えるためには、根本思想にメスを入れる必要がある。

少し駆け足だが、以上７つが、機能する文章を書くために考えなければいけないことだ。この後、第２章で、1つひとつの、より詳しい説明をし、それぞれ「どう考えていくか？」という方法を提示する。

Lesson 3 文章の基本構成

7つの要件のうち、実際に文章を書く上で、基本となるのが次の3要素だ。

1. 論点 何について書くか。
自分が取り上げた問題。

2. 論拠 意見の理由。

3. 意見 自分が一番言いたいこと。
1に対する結論。

これは、日常で書くメモから、論文までかなりの範囲をカバーする文章の原則だ。例を挙げよう。

〈論文の構成メモの例〉

論点 夫婦別姓を認めるべきか？

論拠 現状では、男性側の姓になるのが9割強で、家名の存続や職場での呼び名の変更などを巡って、女性側にリスクがかかり過ぎているから。

意見 私は夫婦別姓を認めるべきだと考える。

保育園の保育士さんへの次のようなメモも、3要素に分解できる。

今日、うちの太郎は微熱があります。この時期よくあることで心配はないのですが、大事をとって、外での運動のみ休ませてください。

論点　本日、太郎への対応をどうしてほしいか？
論拠　微熱があるので。
意見　外での運動だけはさせないでほしい。

論点・意見・論拠。つまり、取り上げた問題と、言いたいことと、その理由。機能文ではこれを意識してみよう。

３要素のうち、「論点」は、文章で省略されることが多い。なくても意味は通じるからだ。そうすると次のような文章になる。

　現状では、男性側の姓になるのが９割強で、家名の存続や職場での呼び名の変更などを巡って、女性側にリスクがかかり過ぎているから、私は夫婦別姓を認めるべきだと考える。**（論拠→意見）**

思い切って頭に結論を持ってきてもいい。

　私は夫婦別姓を認めるべきだと考える。なぜなら、現状では、男性側の姓になるのが９割強で、家名の存続や職場での呼び名の変更などを巡って、女性側にリスクがかかり過ぎているからだ。**（意見→論拠）**

「意見と論拠」または、「論拠と意見」。これが機能文の最も シンプルな構成だ。文章を書くことを難しく感じたときは、この原則、「意見と論拠」を思い出してほしい。すなわち、機能文とは、

自分が言いたいことをはっきりさせ、その根拠を示して、読み手の納得・共感を得る文章

と覚えよう。これで、たいがいのシーンに通用する文章が書けるはずだ。では、さらに字数、時間がないとき、どこを残すか。最小単位は、「意見」だ。

私は夫婦別姓を認めるべきだと考える。**（意見のみ）**

文章で、最も重要なのは、あなたが一番言いたいこと、すなわち、あなたの意見である。意見のない文章は、「結局、何が言いたいのか？」ということになってしまい、文章として成立しない。

次の第２章で、自分の意見を明快に打ち出す方法から見ていこう。

第2章

7つの要件の思考法

書くために、何をどう考えていくか？

第1節 意見

自分が一番言いたいことを発見する

文章の核は、あなたの「意見」だ。「言いたいこと」がなければ、文章は成立しない。

“なんとなく”で生きている子たちこそ、いま、受けている傷は深い。なぜだろうか？

人は、どんなに幼くても、あの人ともこの人とも違う、何かを自分の中に持っている。体内の感覚や意志を、掘り起こし、形にし、外界に問うてみるまで、自分の中のものが、ひん曲がっていると言われるか、素敵だと言われるかは、わからない。

“なんとなく”で生きるということは、自分の中にあるものと向き合わないことだ。他人の言うことを仕入れては、切り分けて、外に出す。そんな受け売りを繰り返していると、自分の内面と、行動が離れていく。自分が、外界と関わっていることにならない。

だから、考えることを通して、自分の内面を顕在化できないとき、人は静かに傷ついていくのだ。

あなたが文章を書くということは、あなたが納得いくまで自由にものを考えてよいということだ。決められた１つの正解がよそに存在するのではない。常識や模範解答のようなものがあるなら、むしろ、打ち壊していくところに、他ならぬあなたが考える意味がある。自分が頼りにしてきた参考書だって、いったん否定してみたら？

意見は自分の中にある。必要なのは、それを引っぱり出す方法だ。

Lesson 1　意見とは何か？

意見とは、自分が考えてきた「問い」に対して、自分が出した「答え」である。

上のことをもう一度読んで、覚えておこう。「意見」のあるところ、必ず「問い」がある。

例を挙げよう。「脳死の人からの臓器移植について」、Ａさん、Ｂさんが自由に意見を言ったとする。

意見Ａ　私は自身、積極的に臓器を提供したいと思いますし、たくさんの人に臓器提供者になってほしいと思います。

意見Ｂ　脳の死、心臓の死に限らず、死を法律で一様に決めるべきではない。その人の文化、まわりの人との別れまでを含め、多様な個人の死の定義を認めるべきだ。

自由に意見を、といっても、２人の視座はずいぶん違う。「意見」から「問い」を逆算してみよう。

Ａの問い　臓器提供者になるかならないか？

Ｂの問い　人の死とは何か？

このように、意見の裏に「問い」がある。その人の「問題意識」と言いかえてもいいだろう。日常の例でいくつか問いを見てみよう。

俺は、ダメな人間だ。
(問い　自分という人間は、いいかダメか?)

おばあちゃんを止められるのは、お母さんだけよ。
(問い　だれが、祖母を制止できるか?)

これを見ると、「いいかダメか?」の二元論には、いいかダメかの答えしかない。「だれか?」という問いかけだと、答えは人物しかない。意見と問いは呼応している。いい意見を出す人は、「問い」も深い。「問い」が浅薄(せんぱく)だと、意見もそれなりになってしまう。

多くの場合、問いは無意識の中にある。正体不明の違和感、ひっかかりを抱えて、ある日、ふと、自分が何に悩んでいたのかに気づくことがある。「問い」の正体がわかるだけで、ずいぶんすっきりする。

だが、私たちは、「問い」を意識しないまま、意見を言ったり、書いたりすることの方が圧倒的に多い。

なぜ、意見が出ないのだろう?

あなたは、こんな文章を書いていないだろうか?

- 知識や情報を並べただけで、結局自分の見解がない。
- 言いたいことがたくさんありすぎて絞れない。
- 言いたいことが自分でもはっきりしない。

- 「意見」は出ているのだが、どこか一般的な、空々しい、自分が本当に言いたいことではない感じがする。

自分の意見が打ち出せない原因としては、

- 考えていない。
- 大きすぎる問いをまるごと相手にしている。
- 自分の根本にある想いにうそをついている。
- その問題に対する基礎的な知識・情報が不足しており、意見を言う資格がない。
- 決断によって生じるリスクを引き受けられない。

などの理由が考えられる。自分では意見だと思っていても、まだまだ、前提であったり、感想であったりすることが多い。例を挙げよう。親が、保育園の保育士さんにメモを書くとする。

今日は、うちの子は、休ませるほどではないのですが、ほんのちょっとだけ熱があります。

書く方は、「うちの子は微熱がある」が意見だと思うかもしれない。しかしこれは、状況説明で、意見ではない。読み手の気持ちになってみるとわかる。

読み手は困るだろう。微熱がある、だからどうすればいいのか？　よくあることだからご心配なく、なのか、充分注意してほしいのか。でも、注意するとはどういうことだろう？　たくさんの園児がいるのに、その子だけを四六時中見ているわけにもいかない。何に気をつけて、どうしてあげたらいいのだろう？　意見が明確に打ち出せていない文章は、こんなふうに読み手に負担をかけてしまう。例えば、こんなメモなら、保育士さんも困らない。

太郎は、本日、微熱があります。この時期よくあることで、まず悪化することはないと思いますので、たいがいのことはさせて問題ありません。ただ、外での運動のみ大事をとって休ませてください。

子供の傾向や、保育園での状況を考えて、親としての結論が打ち出せている。

考えた末、どうしても自分には決められないという場合でさえも、「自分には決められないので、先生の判断を信頼して任せる」ということを、自分の意見として打ち出すことはできる。

このようにほんの小さなメモでさえ、書くことは「意見」、つまり、考えることを要求する。

自分が何を書きたいかより、どういうことを書いたらウケがいいかを優先しすぎると、自分の想いと離れた空々しい意見しか出てこない。すると、自分という人間の印象まで、うそっぽく映ってしまう。根本の想いにうそをつかず、考えていくことが原則だ。

また、知らないことについて、意見は出せない。これは、自然なことだ。不自然なのは、知らないのに意見を書いてしまうことだ。意見を求められても、自分が「よく知らない」ことを自覚し、意見を慎むという選択はできる。また、意見しようと思うなら、必要なことを、知り、調べてから、責任の持てる範囲で書けばよい。見たり、聞いたり、調べていくうちに、自分の見解は、見えてくる。

Lesson 2　自分の意見を発見する方法

言葉にならない心の引っかかり、胸のもやもやは、意見の種だが、そのままではいつか消えてしまう。意見を出すには、考えることだ。

考える道具を持つ

自分の頭でものを考えるために、1つ、道具を持つことにしよう。考える道具は「？」の形をしている。そう、「問い」だ。

自分で「問い」を立て、自分で「答え」を出す、さらに、その答えに、新しい問いを立てる。問い→答え→問い→答えを繰り返していくことで、考えは前に進む。

大きな問いに、いきなり答えを出そうとすると、考えるのがいやになってしまう。そこでまず、その問いを考えるために有効ないくつかの小さな「問い」を洗い出す。最初はいい問いが浮かんでこなくても、数を出していけば、徐々に慣れてきて、いい問いが立つようになる。洗い出した「問い」を選んだり、整理しながら、それぞれの問いについて、自問自答を繰り返す。これを、粘り強く繰り返していけば、自分の考えがはっきりする。これがあなたの「意見」だ。例を挙げて説明しよう。

「問い」で意見を引き出す―ケーススタディ

Ａさんは、技術者として経験を積み、現部署でも高く評価されていた。Ａさんは、それを見込まれて、新設工場に異動し、技術リーダーとして配属されることになるだろうと内示を受けた。

ところが、新工場長は「そんなことは聞いていない、すでに、技術リーダーは決め終わった」と言う。人事担当に相談したが、「異動時の通達はあくまでも仮決め。詳細決定権は、新部署のトップにある」と突き放されてしまった。

しかし、技術リーダーに選ばれた男は、畑違いの会社からの転職者で、自分よりはるかに経験が浅い。比べるまでもなく自分の方が実績を出している。社外での受賞、社内査定の高さ、資料を読めばだれでもすぐわかることだ。新工場長は、メンバーの経歴書をよく読んでいないようなのだ。「ちくしょう。部下の経歴ぐらい目を通せ！」

そこで、Ａさんは、人事部長宛てに抗議書を書くことにした。「経験や能力が評価されなくてどうする」「この杜撰（ずさん）な人事は何だ」怒りが噴出してくるばかりで、何度書き直しても、本意ではない文章になってしまう。「冷静に考えなければ……」。

そこで、Ａさんは、自分が何を言いたいのか、考えることにした。目指す問いは、「人事の不条理に合った今、自分が一番言いたいことは何か？」だ。

もちろん、すぐに答えは出ない。そこで、この大きな問いを考えるために、役立ちそうな「問い」を、とにかく、思いつく限り洗い出してみた。

- だれに意見をしたいか？
- 自分は何に腹を立てているのか？
- 適正な人事が行われなかった原因は何か？
- 悪いのはだれか？
- 助けてくれる人物はいるか？
- 自分は結局どうなったら満足なのか？
- 過去にこのようなトラブルはないか？

この中で、優先順位の高いものを選んでみる。

1. 自分は結局どうなったら満足なのか？
2. 適正な人事が行われなかった原因は何か？
3. だれに意見をしたいか？

次に、それぞれの問いに、考えがはっきりするまで自問自答を繰り返す。これもルールはないから、とにかくやってみることだ。

問１　自分は結局どうなったら満足なのか？

間違っている人に、間違いに気づかせたい。

とは、だれなのか？

資料を見ずに配属を決めた新工場長、個人に人事権を一任する人事制度、そういう制度を許している会社。

間違いに気づくとは、どういうことか？

間違いを認め、謝ってほしい。今後は、経験や実績が

公正に反映されるシステムを実現してほしい。

いつ、だれのために？

まず自分のため。それから今後自分と同じような目に合う人のため。早く実現してほしい。できれば今すぐ。

今すぐ自分のために実現されるとはどうなることか？

メンバーの中で、客観的に見て最も実績のある自分を技術リーダーにするということ。

つまり、自分はどうなったら満足？

新工場スタートから、技術リーダーになること。

答え　ぜひ、私を技術リーダーにしてほしい。

はたから見れば、ずいぶん遠回りをしたようだが、混乱しているときは、こんな笑い話のようなことが起きる。

最優先するべきは、新工場長糾弾でも、人事システム構築でもなく、自分がリーダーになることだ。そこで次の「問い」だ。

問２　適正な人事が行われなかった原因は何か？

新工場長が、人事の資料を読まなかったから。

⇩

なぜ、読まなかった？

⇩

推測だが、新工場のメンバーは、現地での新規採用を含めて200人。忙しかったのかもしれない。

⇩

解決するには？

⇩

解決できるかは、わからないが、伝わらなかった自分のキャリアを、もう一度、確実に伝えてみるだけの価値はある。

⇩

答え　自分のキャリアを伝えたい。

問３　だれに意見をしたいか？

⇩

新工場長に注意できる、より権力を持つ人に。

⇩

上に訴えてどうなるか？

⇩

訴えが通った場合、新工場長は配属を改めるが、上に訴えたことで感情的なしこりが残る。訴えが通らなかったら配属は変わらない。通らない確率の方が高い。

⇩

では、だれに意見をすれば配属は変わるか？

⇩

やってみないとわからないが、可能性があるのは、一任された人事権を持つ新工場長しかいない。

⇩

答え　新工場長に伝えたい。

以上、3つの問いと答えを総合すると、「新工場長あてに、自分が技術リーダーになりたいという意志と、その根拠としての自分のキャリアを伝えたい」ということがはっきりした。

意見を引っ張り出すイメージがわいただろうか？　最初は、無理やりにでも問いをつくっていくことだ。慣れてくると、次第に問いが立つ頭になってくる。

- 何が問題か？
- 原因は？
- 何が障害になっているか？
- だれが鍵を握っているか？
- どうしたらできるか？
- 似た事例はないか？

というふうに、役立つ「問い」を、自分でストックしておくのも手だ。また、人に相談したり、ディスカッションしたりすると、相手から、有効な「問い」がもらえることがある。

「答え」の方は、意識しなくても探しているものだ。常に意識しなければならないのは、問い。「問い」を発見することだ。

自分が抱いた「問い」のかけがえのない価値

天気について、2人が問いを立てる。

Ａ.明日の天気はどうだろうか？

Ｂ.天気は人にどう影響するか？

Ａさんの問いは、調べればすぐに答えが出る。情報収集に留まって、あまり良いものが生まれてきそうにない。

一方、Ｂさんの問いは、なぞがなぞを呼びつつ発展しそうだ。人の心と天気は関係があるか？　体調と天気は関係があるか？　映画の名場面では天気はどんな役割を果たしているか？　という具合に。

学問も、問題解決も、「問い」の発見から始まる。だから、問題発見力は、大学入試でも高く評価されている。自分にとって切実な問い、解きたいなぞ、まだ形にならない違和感も、独自の創造の芽であり、かけがえのない価値がある。

Lesson 3　問いを立てるエリアを広げていく

「問い」を立てているのに、考えが行き詰まってしまうことがある。例えば、「今後の抱負は？」と聞かれて、「問い」を立ててみるのだが……、

- **今後、自分は**何を目標にするか？
- **今後、自分が**力を入れたいのはどこか？
- **今後、自分が**必ずやるべきことは何か？

この問いでは、なかなか抱負は出てこないはずだ。聞かれているのが「今後」のことだから「今後」の「自分」に焦点を合わせて問いを立てているのだが、皮肉なことに、効率よくテーマ直結のエリアにだけ、問いを立てようとすると、意見は狭く、行き詰まっていく。そこで、問いを立てるエリアを広げてみよう。こういう図をイメージしてみる。

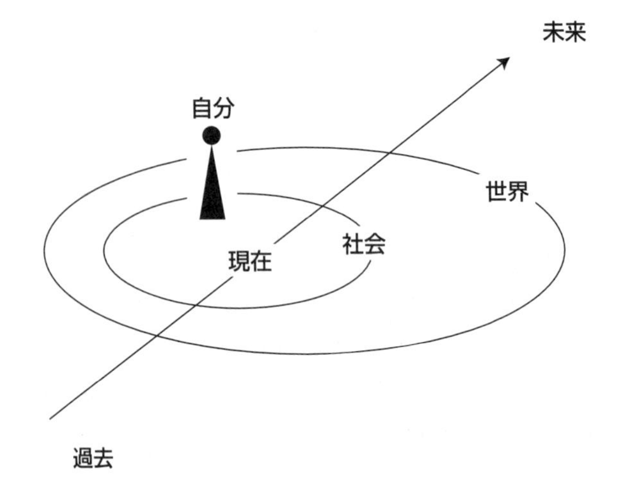

▶過去→現在→未来へと流れる時間軸と、自分→身の回り→日本社会→世界へ広がる空間軸に視野を広げ、問いを立てる。

時間軸へと視野を広げる

「今後」のことを考えたいなら、あえて遠回りをして「過去」へ「未来」へと視野を向けてみる。例えば、

- これまでの仕事で最も充実感があったことは何か？　自分のどのような努力が成果に結びついたのか？
- ここ数年で自分はどんなトラブルを起こしたか？　自分の何が原因か？　どう改めたらいいか？
- ３年後、５年後、自分はどうなっていたいと思うか？　そのために何が必要か？

今まで生きてきた自分、現在の問題点、３年後、５年後……こうなっていたいというビジョンへと、時間軸を移動しながら「問い」を立てていく。それを結ん

だ線上に、「今後の」抱負を浮かび上がらせてみよう。

空間軸へと視野を広げる

いかに「自分の」抱負であっても、「私がやりたいことは？　私がやるべきことは？」と自分だけを見ようとすると、かえって自分のことが見えなくなる。これも、遠回りの法則で、自分を照らすには、「他者」を照らしてみる。

自分→自分の身の回り→会社→日本社会→世界……と外に視野を広げて問いを立ててみよう。

- 上司や部下は、現在どんな問題を抱えているか？　私に何を期待しているか？
- 所属するグループは、今後どんな展開をしていくか？　どんな人材を求めているか？
- 自分の関心ある方面で、社会にはどんな問題が起きているか？　自分はどんな形で貢献できるか？

⇩

そこで、今後自分はどうしたいか？

自分が関わる人や、グループや、世の中の輪の中に「自分の」抱負を浮かび上がらせてみよう。

このように、行き詰まったときは、「問い」を立てるエリアをできるだけ広げてみよう。

第2節 望む結果

何のために書くか？

状況の中で機能する文章を書くには、あらかじめ「何のために書くか？」結果をイメージすることが必要だ。

私自身、結果を意識しながら書くようになったのは、ある些細(ささい)なきっかけからだった。

高校生からの質問

受験シーズンが近づいたある日、私は、受験生から入試小論文について質問を受けた。毎年、この時期になると、不安を抱えた受験生から質問がくる。

その質問は、「原稿用紙の使い方で、どうしても調節がつかず、時間もなくなったとき、行の一番下のマスがカギカッコのはじめの方だけになってもよいのか、それとも、そのマスに、カギカッコのはじめの方と文字を一緒に入れた方がいいのか。減点の対象にはなるのか？」というものだ。

私たちは、できるだけそういうマス目の使い方にならないよう、前の表現を詰めたり、読点を打ったりして調節するよう指導している。だが、どうしてもそうなった場合、どちらの方法でも、減点はなかろうと思った。

だが、受験直前ということで、私は、慎重になった。その子が志望する大学の入試課へ問い合わせてみたところ、「そういう質問には答えられない」とのことだった。

他にも、小論文関係者に聞いてみた。その結果、たぶん、どっちを使っても減点にはならないだろう。だが、100％その年のその大学で減点はないとは言い切れない、という結論だった。

100％と言い切ってあげたいが、何かあったとき、その子にも迷惑がかかるし、企業としての信頼にもかかわる、というのが表向きの理屈。内心、断言するのが怖かった。受験のこととなると、やはりピリピリする。

さて、その子への回答を書く。私は、編集部の考え、大学入試課に問い合わせた結果、有識者の見方を併記し、その上で、「100％とは言い切れない」と、レポート風に書こうとしていた。「これだけ丁寧に調べたからね」とアピールしたかったのかもしれない。

そこへちょうど、ある執筆者から電話があった。懇意にしていた先生なので、私はこの件について相談した。先生が切り出した次の言葉に、私は、はっとした。

「その子が欲しいのは、安心だと思いますよ」

そうか……。ああ、ああ！　そうだった。私は、重大な見落としに気づいた。「何のために書くのか？」が抜けていたのだ。

何のために？　私がどれだけ苦労したかアピールするため？　あったことを、あった順番で、あったまま正確に書くため？　企業の責任を回避するため？

どれも違う。

その文章、何のために書くか？

文字の１字くらいなら、だいたい読点で調節できる。その子はどうして、そんな起こりにくいケースをわざわざ聞いてきたのだろう。

初めての受験で不安なのだ。どんな小さな疑問でも答えが不明なら、不安材料になる。だから質問して、不安をすっきり解消したかったに違いない。

そこへ回答が、「100％とは言い切れない」と、煮え切らないものだったらどうだろう。

その子は一抹の不安を抱えたまま、受験することになる。だが、この件は入試全体からみれば、ほんの取るに足りないことなのだ。

なのに、長い詳しいレポートが届いたら、「そんな大事なことだったのか」と驚くだろう。親切と思って丁寧に書くことが、逆に相手を威圧する。

安心を与える。

私の文章が目指すのはそこだ。それなくしては、意味がない。いちばん大事なものがはっきりすると、何を書くか、どう書くかが自ずと見えてくる。杓子定規な説明ではなく、いかに不安を払拭するかだ。

まず、結論をはっきり示してあげること。あれだけ調べても、明らかに減点の対象となるという見解は出てこなかったのだ。それが合否に影響することは、まず、考えられない。不思議なことに、相手に安心を与えようとしたら、自分まで、落ち着いた。

そして、その根拠となる、安心材料を提供すること。入試課が質問に答えないということは、当日の受験生は、その件についてわからないという点で、みんな平等だ。

また、この問題自体の扱いを軽くすること。入試全体から見て些細なことは、些細に扱わなければいけない。

だから、この件に関しては、文書でなく電話で回答することにした。相手が、不明な点をすぐ聞き返して、不安をその場で全部つぶすことができるからだ。

私は明るい声で、「どっちの書き方でも合否に影響ないから大丈夫！　安心して」と切り出した。結果、その生徒は、「よくわかりました。これで安心して受験できます！」と、とても明るい声で言ってくれた。

「安心」

これこそ、私が聞きたかった言葉だ！　ただの質問回答が、なんでこんなにうれしいんだろう？

「何のために？」を明確に意識したからだ。そのために内容、表現を工夫し、いらないものはごっそり捨てた。そして、期待したとおりの言葉が返ってきた！

単なる回答ではなく、相手に「安心」という価値を提供できたのだ。

Lesson 1　望む結果を意識して書く方法

文章を書いていて、または書き出そうとして、自分が何を書こうとしているのかがわからなくなってしまうことがよくある。そのようなときは、何のために書くのかということを、考えるようにするとよい。

例えば、あなたが得意とする仕事について、後輩がやり方を教えてほしいと頼んできたような場合、「じゃあ、文章にしてあげるね」と、あまり考えずに書き始めると、こんな文章になってしまうことがある。

何のために？を見失う例

1. 自分の自慢話になってしまう。これまであげた業績や、成功例の羅列になってしまう。

→結果、後輩は、「先輩ってすごいんだなあ」と威圧されるか、「自慢たらしいな」と引いてしまうかだ。

2. 仕事の全工程をヌケ・モレなく網羅しようとして、長い文章になり、書いていてヘトヘトに疲れる。

→結果、読む方も疲れる。「この仕事、こんなに大変なの？　これ全部やるの？」と憂鬱になりかねない。

3. 自分の興味のあるところばかり、やたら詳しく書いてしまう。

→結果、後輩は「専門的でわかりにくい。自分はまだ基礎で躓（つまず）いているのに」と不満になるかもしれない。

セルフチェックの観点

何のために書いているのか、わからなくなってしまったら、次の順序で、自分に問いかけてみよう。

1. 自分は今何を書いているのか？　書こうとしてい

るのか？

2. だから、何なのか？　それは読み手にとってどんな意味があるのか？

3. 読み手にどうなってもらいたいのか？　そのためにどう書けばよいのか。

前ページの例で、全工程を網羅しようとしている2番目について、このチェックをやってみよう。

1. 自分は今何を書こうとしているのか？

→仕事の全プロセスを網羅しようとしている。

2. それは読み手にとってどんな意味があるのか？

→読む量も、実行することも多すぎて負担になる。

3. 読み手にどうなってもらいたいのか？

→後輩に、初めてでも、「やり方がよくわかった、やる気になった」と言ってほしい。そのためには、優先順位をつけ、ポイントを絞って書く必要がある。

このように、自分の書いたものを、時々突き放して読み、機能をチェックしていこう。私も自分の書いた文章を突き放して読み、虚無感に襲われたり、ボツにすることも日常茶飯事だ。それは辛い作業だが、結局何の意味もない、だれも歓ばないものを書いてしまうよりいいと思う。

読んだ人に、どう言ってほしいか？

自分が書いたもので、読み手にどういう価値を提供したいのか、読み手や状況がどうなっていくことを望むのかが、明確にイメージできればよいのだが、慣れないと難しい。そこで、こんないい方法がある。

自分が書いた文章を読み終えたとき、読み手に、どう言ってもらいたいか、その言葉で結果をイメージするのだ。これなら、結果を具体的に描きやすい。これは、私が企業にいたとき習い、出版物をつくるときに効果をあげていた方法だ。

例えば、後輩に仕事のやり方を書くとき、読んだ後輩にどう言ってほしいか？　次の、どの言葉を望むかで、書き方も変わってくる。

〈読んだ人から聞きたい言葉〉

- とてもわかりやすかった！
- 大変、責任の重い仕事だな、と気が引き締まりました。
- 面白そう！　この仕事が楽しみになりました。
- それぞれの工程で、やることに意味があるんだな、と思いました。納得して取り組めます。

このような反応をイメージして書き始めるだけで、仕事の指示書は、コミュニケーション性を強く帯びてくる。書き方を工夫するだけでいく通りもの価値を伝えることができ、書き手のオリジナリティが生かせるというわけだ。

さて、こうして毎回、「何のために？」と考えて、文章を書こうとすると、自分の仕事観や世界観が問われていることに気づいてくるはずだ。仕事のちょっとした文章も、根底のところで、自分は何のために仕事をしているのかが、関わってくる。

それは、自分の「志」とも言える。ここで述べてきたことは、小さくてもいい、志のあるものを書こうということでもある。

文章がうまいから、だからどうなのか？

文章がうまいということは、まだ、それだけでは価値にならないと私は思う。

編集の仕事で、実にたくさんの人の文章を読んだ。本当に素晴らしく文章のうまい人はいるものだ。語彙（ごい）や知識の豊富さ、構成力、１行を書き出したときの緊張感など、文章の鍛錬の違いを、まざまざと見せつけられる。

しかし、書き手の中には、まわりの人、特に今の若い人をひどく見下した感じの人もいて、閉口したことがある。読者に対して書くものが、「きみたちはだめだから、私が高いところから教えてあげるよ」という感じなのだ。

読者は、こういう感覚には非常に敏感だから、「何か、書き手のものの見方を押し付けられている気がする」「他の人が書いたのが読みたい」と訴えてくる。むしろ、編集部の方が、書き手のキャリアや、表面に現れた文章力に幻惑されているくらいだ。

また、クレームなどで、巧みな文章力で、ひどく相手を傷つけるものに出くわすと、こちらも人間だから、半日くらい、やる気が失せてしまう。

こういう人は、何のために文章力を磨いたのだろうか。文章力は、人を蔑（さげす）んだり、傷つけたりするためのものだろうか。文章がうまいから、だからどうだというのか？

ときには、怒りをあらわにしたり、書いて人を攻撃せざるを得ないような心境になることもある。読み手にかまわず、自分の鬱憤を書き連ねたい衝動に駆られることもある。しかし、そういうときでも、踏みとどまって考えてほしい。この文章が、何か価値を生み出すか？　この文章で状況は動くか？　自分の望む結果は何か？

もし、ただ、だれかを傷つけるだけ、ただ落ち込ませるだけで、その後に何も生み出さない文章だと気がついたら、あなたはそれでも、発信したいだろうか。

逆に、さまざまな分野のスペシャリストが、知恵をめぐらせ、読者との関係性を考え抜き、読者の高校生に「伝える」ことに心をくだいている姿は、見ていて励まされるものだった。「読んでいて発見があった」「世界が広がった」「面白かった」と、読者からも反応が返ってくる。そういう著者にとって、書くことは、伝わって歓んでもらったときに価値を持つ、と位置付けられているように思えた。

自分の書くもので人に歓びを与えられるかどうか？

あまり、狙(ねら)いすぎても書くことは苦しくなるが、折に触れて、自分が書いたものの、影響や反応を問うてみよう。やはり、自分の書いたもので、人が歓んだり、触発されたり、読み手自身の潜在力が発揮されるのが感じられるのは、書いていてうれしいことだと思う。

少し高いハードルだが、あなたが書きたいことで、あなたにしか書けないことで、結果的に人に歓んでもらえるというところから逸れないように、文章のゴールを設定していくといいのではないだろうか。

第3節 論点

何を書くか？
集め方・絞り方・決め方

Lesson 1 論点とは何か？

「論点」とは、文章を貫く問いだ。筆者の問題意識と言ってもいい。よく「独自の切り口」と言われるのが、論点のことで、どのような問題を、どのような角度で扱っているかということを指す。文章の方向も、読み手の興味も論点で決まる。

かみ合わない会話

文章でも、会話でも、意見のあるところに必ず論点がある。会話がかみ合わないとは、「論点」を共有していないということだ。日本人は、論点を「話題」と勘違いしやすい。例えば、次の会話の論点を点検してみよう。

A「この前、ゴルフで腰痛めちゃって、今週、娘の運動会なのに、まいったなあ」
B「ゴルフねえ……、最近、不調で悩んでるのよ」
A「不調くらいならいいよ、僕なんか、当分クラブも握れないんだよ。娘と障害走に出るのにまったく困ったなあ、無理に出て、大負けするのもイヤだし」

B「私もしばらく休んだ方がいいのかも。ここでしゃにむにやってもますます自信なくすかなあ」

２人とも、ゴルフについて話している。共通の話題がある、などと言う。だが、実は会話はかみ合っていない。

Aの論点　僕の運動会参加をどうするか？

Bの論点　私のスランプをどうするか？

趣味のサークルなどで、共通の話題があるはずなのに、今一つ話が盛り上がらなかった経験はないだろうか。それは論点、つまり互いの問題関心がずれているからだ。

次の会話は、ゴルフから大きく話題が移っている。

B「ねえ、Cさんゴルフやるの？」

C「いや、俺はぜんぜん。興味なくて」

B「じゃあ、話しても意味ないか。私スランプなのよ」

C「俺、美容師やってて、客の受けが悪くなったときがあったんだ。そのとき、お客さんや先輩に、俺のやり方どう思うか聞いて、結局、自己主張が強すぎるとわかって直したんだ。だから……、」

A「おいおい、ゴルフからずいぶん話が飛ぶなあ」

いやＡさん、話は飛んでいないのだ。それはＢさんとＣさんの論点を見ればわかる。

Bの論点　私のスランプをどうするか？

Cの論点　スランプから脱するのに何が有効か？

論点、つまり問題意識を共有していれば、どんなジャンルの、どんなことを持ってきても会話は成立する。

文章における論点のすれ違い

会話と同様に、文章にも読み手と書き手のすれ違いはある。就職活動の自己推薦状の例で考えてみよう。

学生Ｄは、会社訪問を申し込み、「形式は自由だから、自己推薦状を書いて持ってきてください」と言われた。

Ｄは考えた。「学生生活を振り返って、自分が唯一やってきたのは音楽だ。自分には、音楽しかとりえがない」。そこで、「音楽への情熱ならだれにも負けません」という主旨の自己アピールを書いた。

このままの文章では、採用担当は首をひねるだろう。その会社は、音楽にまったく関係がない。音楽への情熱が、入社後、何の役に立つのだろうと。学生Ｄと採用担当の問題意識をチェックしてみよう。

採用担当　志望者は、仕事へのどんな適性があるか？

学生Ｄ　私は、いかに音楽を愛しているか？

まったくかみ合っていない。採用担当は、仕事への適性を見たいのだ。その問題関心から外れたところで、どんなに自分をアピールしても意味がない。どうすればいいのだろうか。

論点を修正する

学生Ｄは、音楽以外のことを書こうかと考えた。大学の専攻とか、友人関係とか。

だが、音楽が人生最大のとりえ、それ以外に誇れるものがないのだから、他のことを書くのは明らかに不利だ。論点が、自分の関心事からも離れてしまう。

話題を変えなくても、文章の軌道修正は、論点を変えることでできる。論点は文章の舵だ。

現状の論点、「私は、いかに音楽を愛しているか？」の角度をちょっと変えて、「音楽で培った私の資質は、仕事にどう生かせるか？」としてみた。

どうだろう？　これなら例えば、メンバーとの協調性やリーダーシップ、観客を摑むための企画力などが、仕事にどう生かせるか、という文章展開が期待でき、採用担当も目を輝かせるのではないだろうか。

読み手と自分の問題関心をキャッチする

機能する文章を書くためには、自分と読み手の問題関心から外れない論点を設定することが必要だ。

もちろん、書き手が書きたいことに、読み手が関心を持てなかったり、逆に読み手が求めていることに、書き手が興味を持てなかったりと、論点を定めるのは難しい。

しかし、だからこそ、自分の関心事をいかに、相手に興味ある切り口で書けるか。相手の関心事をキャッチしつつ、それを、いかに自分の興味ある問いに発展させられるか、腕の見せ所だ。読み手と自分、双方の問題意識を発展させたり、根源的な問いに戻したりしながら、双方にとって興味ある、新たな「論点」を発見しよう。

Lesson 2 テーマと論点は違う

「論点」という発想は、日本人には、なかなか馴染みにくいものだ。会話や文章でも論点は省略されることが多く、自分の意見は意識しても、その裏にどんな問題意識を持ったかは、なかなか意識しないものだ。だから、「論点」という発想を身につけると、文章を書くとき、抜群の効果を発揮してくれる。論点を制する者は文章を制すると、私は思っている。

文章指導でも、生徒に最も教えにくく、理解され難(にく)いのが論点だ。例えば、「日本人」というテーマで、高校生に文章を書いてもらうと、そのまま「日本人について」を論点に据えてくる子がいる。しかし、これは、テーマであって、論点ではない。

「日本人について」というのは、大きなワクのようなものだ。このまま文章を書くと、とてつもなくぼやけた文章になってしまう。

だから、例えば「日本人の特徴と言われてきた集団主義は、崩れてきているのだろうか？」というように、独自の論点を絞り込む必要がある。

テーマから論点を絞り込んでいく感覚をうまく表す手本がないかと思っていたら、雑誌にあった。

雑誌『ＢＲＵＴＵＳ』、特に齋藤和弘編集長のころのタイトルには、テーマから論点への鮮やかな切り込みが見える。いくつか例を挙げよう。

テーマ	タイトル（論点）
• 男性ファッション	なぜ、日本男子はカジュアルが

下手なのか？

- **住まい**　　東京23区に家を建てられますか？
- **グルメ**　　人はなぜ、焼肉屋を教えたがるのか？
- **ブランド（エルメス）**　　３年待ってもケリーバッグが欲しい理由。
- **自動車**　　毎月10,000台も売れているヴィッツを基準にクルマを選ぶと⁉

これぞ、まさに論点だ。独自の良い「問い」が立っている。これらを、雑誌によくある「男性カジュアルウェア特集」「焼肉屋ランキング」「エルメス徹底研究」といった見出しと比較してみよう。こういう見出しは、論点でなく、ただの枠組みなのだということがわかる。

論点を設定した方が、読み手にとって具体的なイメージが湧き、興味をそそるものになっているのは明らかだろう。事実、一時部数が伸び悩んでいた『ＢＲＵＴＵＳ』は、この方法で起死回生を果たしたという。

それだけでなく、これら、５つのタイトルを見ただけで、内容は読まなくても、そこに『ＢＲＵＴＵＳ』独自のものの見方・センスが感じられはしないだろうか。

そう、読み手は、まだあなたの意見を読んでいなくても、問いの立て方だけで、あなた独自の見方・センスを感じ取るのだ。独自性の発現に、論点はよく機能する。

ここでは、テーマと論点の違い、論点を絞り込む感覚がつかめたら充分だ。次へ進もう。

Lesson 3 論点の2つの原則

論点の定め方に入る前に、論点の2つの原則を確認しておこう。

論点と意見は呼応する―原則1

論点と意見は、問いと答えの関係にある。文章で明示されていても、省略されていても、意見の裏には、それを導き出した「問い」、つまり論点がある。

意見（答え） 変革を恐れる社員こそ、当社の敵だ。

⇧

論点（問い） 当社の敵はだれか？

文章を書くとき、第2章第1節「意見」で述べたように、まず自分の言いたいことをはっきりさせる方法と、論点から入っていく方法がある。論点から入るとは、まず、「当社の敵はだれか？」のように、自分の問題意識を明らかにし、その問いに基づいて、情報を集めたり、自分で考えたりしていって、最終的に1つの結論を導き出す、というやり方だ。

「論点」からでも、「意見」からでも、どちらの方法でもかまわない。多くの人は、この中間の方法、つまり書いているうちに次第に意見がはっきりし、そのことにより、論点の角度も絞られる、というように、意見と論点を互いに調整しつつ文章を書いている。それでいいと思う。

ただ、次の２つのことに注意してほしい。

１つ目は、最終的に書き上げた文章の論点が一貫していることだ。例えば、次の例は論点が一貫していない。

論点（問い）　当社の敵はだれか？

⇩

意見（答え）　社員は社会人としてマナーを守ろう。

これを、文章がねじれているという。例えば、ある社長が、「会社の変革期、当社の敵はだれか？」という論点で文章を書き始める。そこで、保守的な社員たちのことを思い浮かべる。そこまではいい。だが、次第に、彼らの勤務態度に腹が立ち、最終的にはマナー指導の文章になってしまう。このような文章の脱線はよくあることだ。

これを防ぎ、自分の文章のねじれを修正するためには、書いた文章の、論点と意見が呼応しているかどうかを確認することだ。つまり、自分が採り上げた「問い」に対し、自分の結論が打ち出せているかどうかをチェックするのだ。

２つ目、大切なのは、「問い」を意識しつつ、文章を書く習慣をつけることだ。文章を貫いている大きな問いを意識するのはもちろんだが、段落ごとにも小さな問いがある。書いていて話題を変えるとき、何かずれを感じるときなどに、自分は何を書こうとしているの

か、ではなく、「どういう問いに基づいて書こうとしているのか？」を考えてみる。例えば、

論点（問い） 当社の敵はだれか？
⇩
段落１ 変革に必要な人間的資質は何か？
⇩
段落２ 当社の社員には変革の資質があるか？
⇩
段落３ どのような具体例から言えるか？
⇩
段落４ そのような例についてどう思うか？
⇩
意見（答え） 社員は社会人としてマナーを守ろう。

上記のように、書いてある内容でなく、問いに着目して段落の展開を見ると、段落４の問いがずれてしまったことがわかる。そこで問いを修正して、

段落４ そのような人々の存在は会社にどんな影響を与えるか？
⇩
意見（答え） 変革を恐れる社員こそ、当社の敵だ。

このように、「問い」を意識してものを読む、ものを書くという習慣をつけていこう。

論点は「問い」の形にする—原則２

論点は文章を貫く問題意識だ。はっきりした疑問文で書くクセをつけよう。アウトラインを立てるとき、あるいは、文章を書き出すとき、論点を「人間関係について」のように漠然と書かないで、疑問形にする。

例えば、「人間関係はどうすればうまくいくか？」「職場での人間関係の問題点は何か？」「職場で上司と部下の関係はどうあるべきか？」というように。

疑問形にするだけで、文の方向がぐっと絞られてくることがわかるだろう。「なぜ？」「どうやって？」「どうあれば？」と、原因、手段、理想像など、テーマを見る角度を変え、独自の切り込みをしなければ、疑問形にはならないからだ。

こうして、論点を疑問文にしておくと便利だ。

文章の書き出しに悩むときは、論点を書けばいい。「上司と部下の関係はどうあるべきか、私の考えを述べたいと思います」というように。

文章のラストに悩むときは、論点に対する「答え」で締めればいい。「上司と部下の関係は、開かれた対等なものであるべきだと私は考えます」というように。

文章がねじれてしまったときも、論点で作った疑問文に照らして文章を読み返せば、どこで脱線したかが発見できる。論点をタイトルにしてもわかりやすい。

論点を疑問文にする。これだけでもかなり効果があるはずだ。すぐに試してみよう。

Lesson 4 論点の集め方・絞り方・決め方

では、論点を定める方法に入ろう。つまり「何を書くか？」を決める方法だ。論点の候補を洗い出す作業、複数の論点の候補から絞り込む作業、そして最終的に論点を決める、という３段階で説明する。

論点の候補を集める—ステップ１

札幌に転勤になった会社員Ｅさんは、地元東京で主婦をしている妹から次のような相談を受けた。

お兄さん、家のそばの桜公園が大変なの。公園をつぶして、100円ショップなどが入った大型ショッピングモールを建てようというのです。あの樹齢100年の桜も、他の20本も全部切り倒されてしまいます。子どもたちは、どこで遊べばいいんでしょう。子どもと環境は、どうしても守らねばなりません。私は、“桜公園と子どもを守る母の会”の会長に選ばれました。企業側と交渉したのですが、企業側の人を人とも思わぬ物言い、まったく平行線です。お兄さん、何かいい知恵はないでしょうか？

Ｅさんは思った。「どうも妹は正義感に燃えているようだ。何かアドバイスをするというより、ちょっと問題を引いたところから見られるようにしてあげたい、それには何か視点がいるなあ」と。そこで、Ｅさんは、返事の手紙を書く「論点」を次のような手順で考えていった。

論点の候補を探す３つのエリア

私たちが、日常生活や仕事でものを書くとき、完全に好きなことを書いていいという設定は、ほとんどない。そこには、たいてい制約があるものだ。

その制約とは、第１に、読み手は何を求めているかということ。第２に、テーマは何かということ。Ｅさんの場合は「環境保護」や「交渉」がテーマになっており、テーマから大きく逸脱したことは書けない。第３に、それらに対して自分には何が書けるかということ。自分の経験や知識にも限りがある。「読み手」「テーマ」「自分」の３つが、論点の候補を探すべきエリアだ。

まず、この３つを洗うことからはじめよう。

⑴読み手を洗う

はずさない論点は、自分に求められていることを正しく深く受けとってこそ立てられる。会議でも、人の話をよく聞かない人に、よい発言はない。まず、相手の主張を読む・聞く・理解することに時間をとろう。

手紙やメールへの返信なら、来た文書をよく読むことだ。メールは打ち出して読むといい。書くためには、最低２回は読もう。１回目は、細部に入り込まず、全体を一気に通して読み、「相手が本当に言いたいことは何か」を摑む。瑣末(さまつ)なところに反応すると大局を見失うから、ここでは一気に読むのだ。

２回目にはじっくりと、次のようなところには線を引いて読むといい。

- 相手の主張が一番強く出ているところ（意見）
- 相手は何を根拠にしているか（論拠）
- 相手の問題意識はどこに向かっているか（論点）
- 相手がくり返し言っている言葉（キーワード）

相手の文中で、「しかし」など打ち消しの接続詞のあとは、そこまでを否定して何かを言うわけだから、主張が強く出ていることが多いので要注意。「つまり」の後も、そこまでの内容をまとめた内容なので注意をしよう。

その上で、相手は、自分に何を求めているのか？提言なのか、なぐさめなのか、謝罪なのか、と自分の文章が果たすべき役割をつかもう。

この段階のポイントは、論点を探そうとか、自分の考えを出そうという気持ちを捨て、言わば、自分を透明にして対象理解に集中することだ。あらかじめ自分の内部にある意図を持ってしまって、そこにこじつけようとして読むと、相手の心を動かすものが書けなくなる。

自分を透明にしていても、相手の文章を読んでいて、ふつふつとわきあがってくるものがある。これが論点の芽だ。文章で、目がとまるところは、心がとまるところだ。共感、驚き、違和感、反発を感じるところはマークし、感じたことをメモしよう。読んでいて、何か連想したら、直接関係ないことでも、ワキにメモしておこう。あとで考えると、そのギャップから論点が生まれることもあるからだ。

さて、相手の文章に引いた線や、つけたマーク、書き出したこと、これらすべてが、後で論点を立てる材料になる。

⑵テーマを洗う

テーマというのは、最近観た映画について書くなら「映画」、子どもの進路問題について書くなら「教育」だ。日常の様々な問題も、よく考えるとテーマを持っている。

Eさんのケースは、「環境保護」などがテーマとしてあげられる。相手と自分に収束しないで、少し視野を広げるためにも、テーマに向けてアンテナを張り、見たり、聞いたり、調べたりすると、触発されていい論点が立つ。

例えば、この場合なら、環境保護に関連した新聞記事検索、インターネット検索などしてみるのもいい。

この過程で重要なのは、調べたことを、そのまま書くのではないということだ。付け焼き刃で仕入れた知識を、受け売りするだけでは、人の心は動かない。

テーマ関連の情報を仕入れるのは、その刺激によって、自分の問題関心がどのあたりにあるのか、掘り起こすためだ。

この場合も、読んだ新聞記事や、ホームページについて感じた共感・反発・発見、自分が抱いた疑問などを書き出そう。記事の方ではなく、自分が書いたメモの方に、論点の芽がある。

⑶自分の中を洗い出す

読み手とテーマを洗うだけで、すでに、自分の中の問題意識は明確になってきているはずだが、ここで、もう一度、自分の内面の問題意識を洗い出してみよう。

Ｅさんの場合は、環境保護や、交渉ごとについて、自分の経験を洗い出してみた。Ｅさん自身が、以前に労働組合の訴訟で、少し独善的になってしまって反省したことや、会社のイベントをやるにあたって、地域住民の感情的な反発にあったことなどを思い返して、そこで引っかかっていることを洗い出した。また、環境と自分の関係を考えてみたところ、自分は、自動車に乗ったり、企業で産業廃棄物を出していたり、どうも環境に対して悪いことばかりしていると思った。環境問題に加害者じゃない人っているのかな？　という疑問も浮かんできたので、それも書き出しておく。

さて、読み手・テーマ・自分の３点から、さまざまに書き散らかしたメモが集まった。人から見れば、どんなに汚いメモでも、これが論点発見の宝庫だ。

論点を絞る―ステップ２

書き散らかしたメモを睨(にら)んでいくと、いくつかにグルーピングできる。Ｅさんの場合も、大きく分けて、環境保護に関するメモ、交渉に関するメモ、妹自身に関するメモの３つのグループに分かれたようだ。それぞれから、まず大きな問いを立ててみる。

◇環境と人はどう折り合っていくか？

◇企業が耳を傾けてくれる交渉の仕方とは？

◇妹は、どんな立場にいるのだろうか？

これらの問いは、各グループを代表する、いわば幹のような問いだ。これらの問いに、メモを見たり、さらに疑問をぶつけていきながら、いくつかの疑問文を書き出してみる。

◇地球環境を今、一番悪化させている原因は何か？
◇自分たちは地域の自然保護をしてきたか？
◇自分が会社で交渉したときの敗因は何だったか？
◇自分が地域の反対を受けたとき何が嫌だったか？
◇企業はなぜ今ショッピングモールを建てるのか？
◇企業に対してどんな立場で交渉すればよいか？
◇妹の立脚点は？　環境破壊の被害者か加害者か？
◇ショッピングモールができたら妹はどう関わるか？
◇妹に桜公園を守りきれるか？　だれに守れるか？

というような疑問文ができた。これらが論点の候補になる。

論点を決める―ステップ3

論点を決めるとは、最終的に上がった疑問文の中から1つを選ぶことだ。いくつかの候補の中から絞り込んでいくためには、次のような点を考えるとよい。

1. 自分に切実な動機がある問いか？
2. 読み手の要求にかなっているか？
3. 自分の力量で扱いきれるか？
4. 社会的に見て論じる価値があるか？

論点、つまり何を書くかを決めるとき、一番大切なのは自分の動機だ。興味が持てない、書くモチベーションがない論点は選ばない方がいいのはもちろんだが、単に、おもしろおかしいというだけで、動機がはっきりしない論点も選ばない方がいい。書くという作業は意外に苦しく、浅薄な動機ではもたないからだ。

自分にとって切実な問いを選べば、たとえ苦しくても書かずにはいられないし、よい文章になる可能性が高い。

そして、読み手の要求からそれていないか。読み手にとっても興味が持てる問いになっているだろうか。

また、自分の力で扱いきれる論点かどうか。どんなに引かれる論点でも、知識がなければ書きようがない。時間の制約もあるだろう。何日もかけられるものと1時間しか書く時間のないものとでは、論点が違って当然だ。でも、ときには、難しい論点にチャレンジすることも必要だ。

最後に、現在の社会、自分を取り巻く人の関係性の中で、論じる価値のある、何かよいものを生み出す問いかどうかを判断して、1つ選び取ろう。

Eさんは、今環境を悪化させている最悪のゴミは、温室効果ガスで、それは、自分たちの大量消費・廃棄の日常から出ていることに胸を痛めた。環境悪化の張本人は自分たちであり、温室効果ガスによる地球温暖化が環境に与えるダメージは、公園の破壊よりはるかに大きく恐ろしい。また妹を含めた自分たち家族も東京に家を持ったとき、土地の自然を破壊してしまった。

自分たちのそういうわがままは許せても、なぜ、企業のその活動が許されないか、それが説明できないと企業も納得しないのでは、と思った。Eさん自身も企業人として地域の人の反対を受けたことがあり、切実な問題だ。そこで、これは環境に対する善と悪の対立ではないのではないか？　同じ加害者として、しかし、どう、折り合っていくかという問題ではないのか？　という問題意識を妹と共有したかった。そこで、「企業に対してどんな立場で交渉すればよいか？」という論点で、手紙を書き始めることにした。

第4節 関係性

自分の立場を発見する

Lesson 1 相手に応じて書き分ける

例えば、あなたが出張に行って、とても仕事ができる人に会ったとしよう。考えがしっかりしているし、謙虚だし、応対もさわやかだ。すっかり感じいったあなたは、この素晴らしい人のことを、だれかに言いたくてしょうがない。

そこで、同僚、上司、後輩の３人へ、この人のことをメールに書いて送った。文章内容は、ほとんど同じものだ。あなたは、ただ、この素晴らしい人のことをだれかに聞いてもらいたかっただけだ。ところが、３人から、こんな返信が届いてしまった。なぜだろう？

〈同僚からの返信メール〉

いやあ、なんだかいいなあ、その人。こっちまで励まされると言うか、そこまで外注先の人が、積極的に協力してくれるんだったら、発注する側の僕らも身が引き締まる！　よっしゃ、この企画、ぜったいいいものにするからな。じゃ、出張がんばって。

〈上司からの返信メール〉

出張、お疲れさま。せっかくだけれど、当社は外注先を決定する時、競争入札という形をとっています。いかにいい人材がいたとしても、私情では外注先は決められません。そのことは押さえて行動してください。

〈後輩からの返信メール〉

本当にすいません。私の応対が暗いって、先輩もおっしゃってましたよね。案の定、今日のコミュニケーション研修でも注意されました。先輩が今日、会われた方のように、さわやかな応対をこころがけたいんですが、なかなか変われず、自分で自分が情けないです。

あれ、れ、れ……？　「聞いてもらいたかっただけ」が何でこうなるのだろう？

関係の中に生まれる意味

人は、情報を受け取るときに、自分との関係や意味、損得などをついつい考えてしまう。

先の出張報告の例では、同僚、上司、後輩は、それぞれこんな意味に受け取ったのだと思う。

同僚：励ましと受け取った。外注先の人もこんなに協力してくれている、だからがんばろうじゃないか、という同僚からのエールに聞こえたのだ。

上司：会社は、ちょうど来期の仕事の発注先を決めるシーズンだった。そのため、さまざまな営業マンが、「うちに仕事を発注してくれ」と売り込みをかけてくる。上司は、そういう状況にうんざりしていた。そこへ、あなたのメール。上司は、てっきり、来期その会社に発注を、というあなたの進言だと思ったのだ。だから、「私情で外注先を決めてはいけない。コストを競争にかけることだ」と、あなたに注意の返信をしたのだ。

後輩：自分が注意されていると思い、落ち込んでしまった。この後輩には、あなたがかつて、応対が暗いよ、と注意したことがある。後輩はただでさえ、そのことを気にしていた。おまけに今日は研修で注意されてしまった。そこへ、応対がさわやかだと外注先の人をベタぼめするあなたのメール。「こんなさわやかな人もいるのに、お前はなんだ」、というあてつけ、というか、威圧に受け取ってしまった。

あなたの同じメールは、読み手によって、こんなふうに乱反射し、予想外の作用をしているようだ。

同僚にはプラスの影響を与えた。ところが、上司にはあなたへのマイナスイメージを持たれてしまった。そして、後輩は、すっかり落ち込ませてしまった。

送り手の方に、そんなつもりはなかったのだから、悪くないと思うかもしれない。しかし、結果的に人を傷つけている。そもそも、なぜ、メールを書いたのか、というところへ戻る。そこで「ただ聞いてもらいたかっただけ」と言うのでは、あまりに虚しい。

書くということは、あなたの外に向けられた行為だ。

せっかくだから、外界にどんな意味を持つのか、考えてみた方がいい。意義あることでやむなく人を傷つけてしまうならともかく、思いもよらないことで人を傷つけたくはないだろう。政治家の問題発言なども、関係性を見失ったところに生まれ、国際問題までに発展することがある。

かといって、書くことに臆病になるのはもったいない。自分が書いたことが、いい方へ乱反射することもあるからだ。そこで、自分の書くものが、関係性の中でどう作用するかを、少し外側から見る目を養っておきたい。

関係性を考えるとは、まず、相手についての理解を深めること、次に相手から見た自分の立場を知ること。その上で、相手と自分の関係を発見することだ。

相手を理解するための問い

同僚・上司・後輩、同じことを書いても、結果が違うということは、３者に同じ結果（例えば「共感」というような）を出すためには、相手に応じて書き分けをしなければいけないということだ。相手を知るためには、いい問いを立てることだ。あなたがこれから書くことは、

- 相手にわかるか？
- 相手が興味を持てる内容か？
- 相手にこれを読むどんな意味やメリットがあるか？
- 相手はどんな人か？
- 相手は今、どんな状況か？

• これを読んで相手はどんな気持ちになるか？

というように。これらの答えをつかむには、想像力を働かせる・調べる・直接相手に聞く、という方法がある。

Lesson 2　相手の側から見る

恋愛感情、願望や欲、妄想、利害、無知のあるところ、自分と相手の関係の認識はズレやすい。

相手と私の心の距離

私も編集者の卵のころ、こんなズレを発見したことがある。私は、原稿を書いてくださっている作家の方々に、すぐさま信頼を寄せ、心の距離を近づけようとするのだが、作家の方々は、私に、さほど親しみを感じていないようなのだ。この差は何なのだろう？と考えて、わかったことがある。

私の方は、相手の原稿や著作をたくさん読んでいるから、その作家の内面をよく知っている。信頼するのも当然だ。ところが、作家の方は、私の書いたものを見ているわけではない。つまるところ、私という人間を、まだ、よく知らない、わけだ。

だから、顔を会わせていても、互いの内面の理解の深さがまるで違うのだ。

これは何かに似ていると思ったら、スターとファン、片思いされる側とする側の関係なのだ。

思う方は、好きな相手の好みから、生い立ち、行動パターンまでよく調べあげて（あるいは想像して）いるから、もう心の距離はぐっと近い。

ところが、思われる方は、思ってくれる人の情報も特に集めていないし、知る必要もないので、当然ながら、心の距離はぐっと遠い。

この２人がコミュニケーションをとるとしたらどうだろう。

思う方にしてみたら、「親しみをこめて近づいたら、意外に冷たい人だった」とか、「勇気をこめて告白したら、冷たくふられた。酷（ひど）い」などというけれど、相手にしてみたら、無理もないことだ。

相手はこう思うだろう。「よく知らない人が、いきなり親しげにつめよってきた、怖かった」と。

こういう場合、「好きだ、好きだ。わかって、わかって。どうしてわかってくれないの！」といくら気持ちをぶつけてもだめなのがわかるだろう。

結果を出す文章を書こうと思ったら、相手との関係は、こっちの「つもり」ではなく、相手から見たときの、あなたとの距離、関係性を基準にすることだ。

そのためには、先にあげたような、よい問いを立てて、相手がどう思っているのかを、ときおり、確認することだ。願望や、思い込みを取り去り、できるだけ客観的に相手の言い分を聞こう。

あるいは、自分と相手の両方を知る人物、つまり間に立てる人から、客観的な意見を聞くのも有効だ。

そして、相手側から論理を組み立てる。「好きだ」と百遍押し付ける代わりに、相手が必要なものを、必要としている時に、「あの、よろしかったら、これお使いください」と差し出す方がよっぽど効果的だ。

相手との適正な人間距離（車間距離ならぬ）を保ち、礼儀ただしく、時間と手間をかけて、自分のことも知ってもらい、相手のこともより理解し、相手側から見て、コミュニケーションの順番を立てていけば、やがては、本物のよい絆（きずな）が結べるだろう。

Lesson 3　他者の感覚を知る

「若い人は、自分が面白いものが面白い、そうでないものはダメって、どうしてすぐ言い切れるんだろう？私は、自分がきらいと思っても、他の人には面白いかもしれない。見方を変えたら面白いかもしれない。と考えてしまう。ダメなものはダメと、きっぱり言い切る方が"強さ"であって、こういう風に考えるのは弱いのか、とも思うけど」

と友人が言った。私は、とても共感した。

2通りの考え方ができると思う。1つは、若い人は感覚に忠実、大人になった私たちは、あれこれ思惑をはりつけて、感覚が鈍っているというとらえ方。でも、私は最近、もう1つの見方をするようになった。自分が、すぐには断定せず、あれこれ考えるのは、経験から得た知恵ではないかと。

「自分が面白いものが面白い」

これは、経験を積んだ大人が言うと、ものすごくかっこいい。でもどうしてか、経験のない人が「すきなものはすき、キライなものはダメ」といっているのを

見ると、何か脆(もろ)さを感じてしまう。

どうも、そこに、

- 私がどう思うか？
- 社会がどう思うか？
- 私と社会はどう関わるか？

という関係性が欠落しているように思うのだ。

社会に自分をどう位置付けるか？

社会性を身につけているかどうか、ということは、１つには、上記の関係性の中で、ものを書けるかどうかでチェックできると思う。

以前、地球環境問題について、高校生が書いたものと、大学生が書いたものを比較したことがあった。先の３つの関係性は、その時、分析にあたった先生が言われたことだ。高校生の意見には、例えば、こういうのがある。

Ａさんの意見　地球環境問題を防ぐには、どうしたらいいか。私は、ゴミの出るコンビニ弁当をやめ、自分で作るようにしています。

Ｂくんの意見　ここまで地球環境を破壊した現代人のつけは大きい。現代人は、利己的な考えを改めるべきだ。

この２つは両極にある意見のようだが、実は、関係性の認識において似ている。

コンビニ弁当の意見は、高校生らしい、微笑(ほほえ)ましい

意見だ。個人の考えとしては、尊重できる。しかし、それで、世の中が変わるだろうか？

一方、Ｂは、第三者として現代人を批判しているが、自分の足は、どこに立っているのだろうか？　自分も現代人の一員ではないだろうか。私と社会はどう関わるかという関係性が、まだ、捉えられていないのだ。

大学生になると、次第にこの関係性が整ってくる。例えば、同じ問題をある大学生に書いてもらうと、

> 私は農作業を体験することで、大量消費・廃棄型の生活を見直すことが出来た。現代人には、使い捨ての思想が染み付いており、これが環境破壊の主たる原因だ。私は将来、環境教育に農業体験を組み込むことで、生産・循環という新しい考え方を育てていきたい。

今の社会はどうかと、自分はどうかと、自分は社会とどう関わっていくか、とが明確に位置付けられている。

冒頭の友人も、私も、長く企業でマスに向けて仕事をしてきた。そこでは、自分の志向、顧客の志向、企業の志向がせめぎ合う。そういう現場の葛藤があるからこそ、「自分のよいと思うものが、必ずしも社会でよいとされない。自分とは違う他者の感覚を知ることで、それまで自分がよいとは思わなかったもののよさを発見し、自分の偏り（かたよ）に気づくことがある。自分が持つ感覚を、さまざまな違った感覚を持っている人間社

会にどう位置付け、生かしていくか」というような、関係の中の自分を捉える目が鍛えられてくるのだと思う。

関係性の中で、自分の立場が見えてくれば、自分の書くものは、自分を取り巻く人間関係の中で、よく機能するに違いない。

第１節で述べた遠回りの法則で、自分の立場を照らしたかったら、外を見ることだ。書くためには、よく見なければいけない、自尊心がバラバラと崩れるまでに、痛いまでに。自分の都合とはまったく関係なく生き、動いている他者を、社会を、見ることだ。

自分の立場を発見するとは、世界の中の小さな自分を発見し、その生かし方を研究することだ。

第5節 論拠

説得のために いかに視野を広げるか？

どうすれば、人を説得できるのか？　あなたも、そう切実に思ったことがあるだろう。説得は、「論拠」で決まる。この第5節では、人を説得する根拠をどこから、どう準備するか？相手にどういう順序で示すか？をつかんでいこう。

Lesson 1　論拠を用意する－入門編

「あなたは、そう考えるかもしれない。しかし、私はそう考えない。あなたはあなた、私は私」。こんなふうに自分と相手がもの別れになったとき、この壁をどう超えたらいいのだろうか？

そこで必要になってくるのが「論拠」だ。相手とあなたの真ん中に論拠がある。説得力は論拠から生まれる。

まず、基礎的でわかりやすい例から、論拠のそろえ方を考えてみよう。

理由はどこにあるのだろうか？

中学生の少年がお母さんにパソコンを買ってくれとねだっているところを想定してみよう。

論拠を用意する、とは、お母さんが買うことに納得するだけの理由を示すということだ。理由は、どこにあるのだろう。そこで、まず、少年に、なぜパソコンを買ってほしいのか、理由を挙げてもらうことにしよう。

自分の理由を挙げる―ステップ1

- みんな持っているから。
- ゲームをやりたい。
- メールをしたい。
- インターネットをやりたい。
- いろいろなことができそうだ。

買いたい理由が自分にもよくわかっていなければ、人を説得することなどできないので、自分の理由を確認することには意味がある。ただ、当然ながら、これは自分の都合だけ。人を説得する理由にはならない。

そこで、少年にお母さんにとって都合のよさそうな理由を考えてもらう。

相手の都合から見た理由を想定する―ステップ2

- お母さんもメールやインターネットができる。
- パソコンは勉強にも使えるので僕の成績があがる。
- 家族でいろいろな使い方が楽しめる。

このように想像力を働かせ、相手側のメリットを打ち出していくことは、説得の際、必要なことだ。ただ、これでもまだ、論拠にはならない。

そこで、お母さんに、なぜパソコンを買ってくれないのか、尋ねてもらうことにした。意外な理由だった。

相手側の反対理由を正しく押さえる—ステップ3

1. **経済的理由**　不況でお父さんのボーナスが30%カット。家のローンなどで、経済的に今大変苦しい状態。
2. **眼が悪くなる**　お母さんは強度の近視。眼鏡をかけていた青春時代をくやんでおり、子どもに決してその思いをさせまいとしている。最近何かの本で、パソコンの眼への影響を読んで、視力低下をひどく恐れているらしい。

「相手に理由を聞いてみる」。このあたりまえのことを、私たちは、意外に見落していないだろうか。説得のためには「相手の反対理由」を正確に押さえる必要がある。いちばん良い方法は、「どうして反対なのか」とただ問いを突きつけるだけでなく、相手側の理由を、突っ込んで聞いてみることだ。そのときのポイントは次の3つ。

- 理由を洗い出してもらう。
- その中から、優先順位の高いものを決めてもらう。
- それ以外に後から、別の理由を持ち出さないよう確認しておく。

自分だって何かいきなり聞かれても、すぐには答えられないだろう。相手もそうだ。だから、じっくり洗い出し、プライオリティーの高いものを決めてもらう。この作業は、一見手間がかかると思えるかもしれないが、実はその後の論拠の準備作業をはるかに楽にしてくれる。

反対理由に合わせた論拠を準備する――ステップ４

お母さんの反対理由をここまで聞き出せれば、論拠を準備する方向は決まったようなものだ。

まず、経済的負担を軽減する。これは、ショップに問い合わせたり、知人に呼びかけたり、中古品にあたったりして、安く買う方法をいく通りか集めてみる。実際に安く買う方法と、価格とを、論拠としてお母さんに提出する。自分で、見たり・聞いたり・足を運んだりして調べることが大事だ。「安く買えるらしいからお母さん調べて」では、論拠にならない。

もう１つの近視の心配についても、眼科医の勧める正しい使用法を守ること、定期検診を受けること、パソコンを使っていても眼がいい人たちのことは、説得材料になる。これも自分で調べることが大切。そういう話があるでは、論拠にならない。なぜなら、「それとは違う話もある」と言われたら、水掛け論になるからだ。調べれば、自分の知識が増える。また、その段階で、自分の思い込みに気がつくこともある。それならそれで、主張が通らなくても納得感があるわけだ。

以上、論拠の用意、入門編のポイントをまとめておこう。

1. まず、自分側の理由を洗い出す。
2. 相手側にとってのメリットをあげてみる。
3. 相手の反対理由を正確に押さえる。
4. 相手の反対理由に焦点を合わせ、説得材料を見たり聞いたり、足を運んで調べる。
5. 相手にわかるよう筋道立てて論拠を提示する。

Lesson 2　説得のために視野を広げる

説得相手が、特定の１人であれば、相手の反対理由を押さえることができる。しかし、ホームページに意見文を載せる、新聞に投稿するなど、説得相手が、不特定多数の場合は、どう考えていけばいいのだろうか。意見文を書く、ということは、世界を相手にあなたの意見を発信するということなのだ。

なぜ抗議の声は届かないのか？

地域や社会で事件が起きたとき、書くことで抗議をする方法がある。例えば、抗議ビラを街頭で配る、メディアに投稿する、インターネットや電子メールを利用して意見文を発信したり、署名を募ったりする。いまや、だれでもこのような行動を起こせるようになった。

こうした文章の中には、人々の心を動かし状況を変えるものもある。しかし、結果に結びつかず、抗議の声も虚しく消えてしまうものもある。

この差は何だろうか？

届かない抗議には、いろいろな原因があり、必ずしも文章のせいだけではないが、まず、次のような問題を点検してみてはどうだろうか？

1. 目標の設定が不明確ではないか？　または、書くこと自体、抗議すること自体が目標になってしまっていないだろうか？　最終的にはどういう状況にしたいのか、具体的なビジョンが描けているか？

2. 手段の選択が安易ではないか？　望む結果を出すために、投稿なり、署名なりという手段がその場合のベストな方法だろうか？　またその手段で、読んでほしい人に、読んでほしい形で自分の考えは届けられるだろうか？

せっかく社会に向けて発信するのだから、その場限りのヒロイズムに酔って事足れり、では意味がない。結果に向けて継続的な取り組みをしていく必要もあるだろう。また、自分の発信が機能しているか確認し、結果に結びついていなければ、それは、方法に問題があるのか？　力が不足しているのか？と反省し、改良・工夫していく必要がある。

正論を押し付けても意味がない

抗議文には、次のような論理構造のものも見られる。

- 母なる自然は何としても守らなければなりません。だから工事には断固反対です。
- 戦争は絶対反対です。だから武力による問題解決には絶対反対です。

「地球環境保護」「戦争反対」は、だれが見ても正しい主張だ。にもかかわらず、こういう論理が人を動かさないのはなぜだろうか？　地球環境保護という「論拠」が正しいことと、それを論拠にした「意見」が正しいかどうかは、まったく別の問題だ。それは、

- 母なる自然は何としても守らなければなりません。だから人間は地球上から消えるべきです。

という極端な例を持ち出さなくても明らかだろう。それに、あまりにも正しい大義名分を「論拠」に掲げてしまうと、そこで思考停止に陥り、問題を慎重に考えようとする気持ちをなくしてしまう。

多くの問題は、正しいことが正しいとわかっていても、どうしようもなくて起きてしまう。問題はその先、つまり「なぜ？　地球環境保護が大切とわかっている人間たちが環境を破壊せざるをえないのか？」「なぜ？　多くの人が暴力はいやだと思っているにもかかわらず、紛争がなくならないのか？」というところから始まっている。

だから、正論を押し付けても意味がないのだ。

社会に向けて自分の意志を発信するときには、単なる批判に終わっていないか？　スローガンの連呼に終わっていないか？　厳しく自分の文章をチェックしよう。

いちばん必要なのは、具体的な「解決策」を打ち出すことだ。みんなそれがわからないから苦労し、問題が解決しないのだから。

ただし、これは難しい。専門家が集まっても解決不可能な問題に、自分で答えを出すということだからだ。ならば、解決につながる「問い」を発するというのはどうだろう。巷（ちまた）の論議の盲点になっているようなもの、つまり、有効な問題提起のある文章を書くのだ。

解決策を打ち出すにしろ、解決につながる問題提起をするにしろ、必要なのは「論拠」だ。ここでは、賛否の分かれる問題を想定して、対外的に意見表明する場合の「論拠」を考えてみたい。
「脳死」は人の死か？という問題に、あなたの考えを表明するとしたら、ＹＥＳだろうか、ＮＯだろうか。

自分の実感、引っかかりを洗い出す

A　私は心臓が動いている温かい体を死んでいるとは思えない、だから私は、脳死は人の死ではないと考える。

まず自分自身はどうなのか、実感を洗い出してみた例だ。いきなり普遍的な視野から考えようとすると上滑りの議論になりやすいから、自分の実感やひっかかりからスタートするのは良い。だが、投稿欄などでこんな論理をみたことはないだろうか？

B　私は脳死が人の死とは思えない。だから脳死の人からの臓器移植は法律で禁止すべきだ。

これが、意見文として通用しないことは明らかだ。「自分が反対だ→だから社会もやめてほしい」という理屈になってしまっている。Ｂさんのように思う人はいい。しかし、Ｂさんのように思わない人はどうしたらいいのだろうか？
実際に、脳死を人の死だと認めたい人もいる。どちらかわからない人もいる。さまざまな考えを持つ人がいるから社会なのだ。自分の実感に人を従わせようとするのではない。自分が反対意見に従うのでもない。多数決でも、権威に従うのでもない。

脳死についてどう考えたら、多様な考えの人がいる社会に少しでも役立てる、あるいは、いま何が問題なのか、自分自身の考えを打ち出すことだ。

問題を多角的に見る

そのためにどうするか？　今度は、自分の考えをいったん置いて、外を見ることだ。しかも、意識的に角度を変え、多角的に見ることだ。

多角的に見るとは、例えばこのようなことだ。

⑴自分の体験・見聞を洗い出す

生死についての自分の体験や、知識、身の回りの見聞を洗い出してみる。

⑵必要な基礎知識を調べる

対外的に意見を言う場合、用語事典の類いでよいから必要最低限のことはきちんと調べてから発信したい。この場合では、「脳死」とはどういう状態のことか。現在の法律はどうなっているのかなど。

⑶具体的事例を見る

「脳死」に関して、世の中で起こっている出来事や事件を複数押さえる。問題を具体的に考えることができるからだ。キーワードによる新聞記事検索、インターネット検索などが便利だ。「脳死」を死と考える人の割合などといったデータも、問題を整理するとき役に立つ。

⑷別の立場から見る

自分とは反対の立場、Bさんの場合は脳死を人の死と考える人の、意見・論拠を押さえる。さらに別の立場（例えば条件付きで脳死を認めたいなど）はないかを調べ、その立場から見てみる。

⑸海外と比較して見る

「脳死」や臓器移植をめぐって、日本以外の国はどういう考え方をしているかを押さえる。単純に海外との比較で意見を出すということではないが、文化やものの考え方が異なる国の状況を知ることで、より客観的に問題を見ることができるのだ。

⑹歴史を押さえる（背景）

何か意見を言おうとするとき、歴史的背景を押さえることは最重要だ。歴史といっても、断片的な知識では役に立たない。流れを押さえることだ。「脳死」という新しい死の考え方が、いつ、なぜ問題になり、どういう経緯で現在に至るのか、流れを自分の言葉で語ることができる、というのが目安だ。国際紛争にしても、地域の問題にしても、歴史を踏まえることは必須だ。

⑺スペシャリストの視点を知る

テーマについて知識と経験を積んだスペシャリスト、例えば、現場をよく知る人、専門知識のある科学者、哲学者、ジャーナリストなどの文献にあたってみる。できれば、賛成、反対など、立場の違うもの両方を押さえたい。スペシャリストの見解に引きずられることはないが、自分の論の甘さに気づくきっかけになる。

以上の1～7は、どんなテーマであれ、視野を広げるときに参考になる方法だ。1～7の作業を経ると、Bの意見は、移植以外に生きる道がない患者さんがいて、一方に積極的に臓器を提供したいという人がいる場合、それすらも許さないものになっていることがわかる。だから意見文としてはすぐさま論破されてしまうだろう。また、「脳死」が問題になったのは臓器移植という必要が生じたからで、日本では最初の心臓移植に問題があったため、以降、海外に比べ移植医療の発展が遅れていることもわかる。現状では、新鮮な臓器を必要とする患者さんの数に比べて、提供者が非常に少ないことで問題が生じていることもわかる。

これら外を見る作業を通して、読み手と共通の土俵をつくることができる。スタート時点のように個人の実感を論拠にしていると、「私は私、あなたはあなた」と物別れのままだ。しかし、自分と読み手が生きている、この社会の具体的事実や、歴史的背景を踏まえることで、客観的な土俵ができた。

再び自分自身へ

さて、視野を広げて問題の全体像を見た上で、どういう意見を出すかは、再び自分自身にかかっている。同じ事実を前にしても、生まれ育った環境や世界観が違えば、意見は異なる。あなたと同じ人間はいない。だから、あなたが考える価値がある。

論拠をどう配列するか？

最終的に自分の主張を明らかにしたら、意見と論拠で意見文を書こう。「論拠」は7つの視点で視野を広げた過程にある。検討過程で出てきた根拠のうち、優先順位の高いものをいくつか選ぼう。

論拠は、次のような順序で配列するとよい。

- 優先順位の低いもの→高いものへ
- 具体的な根拠→抽象度の高いものへ
- 時間的配列（問題の背景→現在→将来）
- ミクロからマクロへ（個人の実感→社会問題→社会構造へ）
- 賛否（賛成、反対の代表的意見の提示→両者の共通・差異点、→そこから見える問題点）

というように、集めた論拠を論理的に配列していこう。

第6節 根本思想

自分の根っこの想いに忠実か？

Lesson 1 根本思想はごまかせない

友だちとの会話にちょっと行き詰まった、数年まえのある日、私は、自分の発言の動機を探ってみたことがある。

いやな自分を見てしまった。それは、私はすごいんだ、ということを相手に見せつけたい、という「自慢」だった。

話題は、昨日観た映画から、友だちと行ったレストラン、最近の仕事、と移っていくのだが、何を言っても、どう言っても、自慢たらしいのだ。これでは、相手への信号は同じ、会話が弾まないのもあたりまえだ。

それから、折にふれて、「私を今、この会話に向かわせている根本思想」「私を今、この仕事に向かわせている根本思想」を探るようになった。

意見は、ちょうど氷山の見えるところのようなもので水面下には、その何倍もの大きな、その人の生き方・価値観が、横たわっている。それが「根本思想」だ。

根本思想は、短い文章にも、ごまかしようなく立ち表れてしまう。根本に、人に対して温かい想いを持っている人の文章は、さりげない書き方をしていても温かさが伝わってくる。また、生き方が後ろ向きな人は、何を書いても、どう書いても、やはり後ろ向きな印象が伝わってしまう。

「根本思想」を変えないかぎり、話題を変えても、読み手への印象を変えることはできない。

個人的なことで恐縮だが、私はものを書くとき、絶対、「……たらどうしよう」の気持ちで書かないようにしている。例えば、相手に嫌われたらどうしようととりつくろったり、上司への心象を悪くしたのではないかとお世辞を言ったり、ということはしたくない。それは「恐れ」を行動動機とすることになるからだ。エゴから発した表現が人の心を動かすことはない。そういう気持ちにとらわれた時は、書くのをやめ、少し、根本思想が変わるのを待つ。根本に人や、社会に対して、温かい、ポジティブなものがわいたら、また書きはじめる。

書くときの根本にある、あなたの想いは、どんな想いだろうか。それは、自分でもなかなか摑み難いものだが、意外にも要約という方法で見えてくる。

Lesson 2　要約でわかる！　根本思想

お母さんのひと言要約

お母さんには、要約の達人が多い。例えば、息子と、お母さんのこんな会話……。その晩、息子は、彼女と大ゲンカして帰ってきた。彼女の留学のことが原因らしい。

息子　「俺は、べつに彼女をしばる気はないんだ。彼女は自由だし、やりたいことをやればいい。
だから、彼女が留学するのは、ちっとも反対じゃない。
ただ、ここで問題なのは、彼女の動機だよ。安易な留学ブームにのっかってるだけじゃねえか、だいたい、そんな、あいまいな気持ちで留学したって、逃げてるだけじゃ……」

母　「淋しいんだね、おまえ」

見事な要約だ。要約は通常、文中から、論点・論拠・意見をピックアップして、その脈絡をはっきりさせてまとめるように指導しているが、要約の字数が、極端に少ない場合、こういう方法では追いつかない。

お母さんの要約は、この方法とは違う。息子の発言には、ひと言も「淋しい」の文字は現れていない。では、これは何か。息子をこの発言に向かわせている、根底にある想い、つまり、「根本思想」だ。お母さんは、表面に現れた言葉でなく、まっすぐ子どもの想いに着目している。また、日ごろの絆で、想いがよくわかっているから、根本思想の抽出、つまり、ひと言要約がうまいのだ。

根本思想に着目すれば、膨大な文章でも、ごく短く言える。なぜなら、膨大な文章も、すべて、書き手の根本にある想いから湧き出たものであるからだ。根本思想は、いわば、文章の製造の源。製造元を押さえるというのは、結局とても効率がよいやり方だ。この方法なら、便箋10枚もの長いラブレターも、「すき」の２文字に要約できてしまう。

長い文章を極力短く要約しようとすれば、根本思想に向かわざるをえなくなる。だから、文章を要約すれば、自他の根本思想がわかるのだ。

自分の根本にある想いが知りたいなら、書いたものを極力短く要約してみよう。

大事なものの順番が見えてくる

要約することで、根本思想と、もう１つ見えてくるものがある。

企業にいたとき、私のボスは、私が書いた非常に長い企画書を見て、「山田さん、これを、ひと言でいうと？」という、無理な注文をよくした。とりわけ、私が担当していた「小論文」というものがいったい何なのか、英語や数学にくらべて説明しづらいものだった。

「小論文っていったい何？」「子どもにどんな力がつくの？」などと聞かれ、私は、いつも長い説明をしていた。「テーマに対する多様なものの見方・考え方を養い、それを読み手に論理的に書く表現力を鍛え、自分の見解を……うんぬん、かんぬん……」。とてもものを考え、書くことの奥深さを、ひと言では言えないと思っていたのだ。

だが、長ったらしい説明は、結果、同僚に対しても、高校生に対しても、小論文は、わかりにくい、難しい、というマイナスイメージを与えてしまっていた。それだけではない、指導する側の自分まで混沌とし、身動きがとれなくなっていたのだ。依頼をするにも、編集をするにも、いちいち説明が重い。だから、相手に「ああ！　そうか」とわかってもらえない。

それもそのはず。短く言うということは、大事なものだけ残して、あと全部を棄てることだ。短く言えないということは、大事なことの順番が自分にもわかっていないということだ。これでは、結果を出す文章は書けない。

重いデータを抱え、反応が遅くなったコンピュータのような私が編集したものは、やっぱり、わかりにくいまま世に出てしまった。

そんなある日、何かの拍子に「なぜ？」という２文字が、ふっと頭に浮かんだ。続いて、「なぜ、は小論文のはじまり」、と言葉が出てきた。そうか！　小論文とは、「なぜ」の文章なのだ。「なぜ」を考え、「なぜ」を書く。つまり意見と理由の文章なのだ！

これから、ボスに「ひと言でいうと？」と聞かれたら、たった２文字で言える！

「なぜ」という核心の２文字がつかめたことで、それまでバラバラだった小論文の世界が、いっきに秩序を持った。そこから、堰(せき)を切ったように、新商品の企画がわきあがってきた。人にも速く、確実に伝わるようになった。

極端に短く言うことで、いらないものを捨てる、大事なものの順番がわかる。ということは、すなわち、自分とまわりの関係性が発見できるということだ。

「いま、あなたがやっていること、やろうとしていること、それを、ひと言でいうと？」。煮詰まった時は、まわりの人とひと言要約を実践してみよう。あなたのどんな根本思想、関係性が見えてくるだろうか。

想いに忠実であること

文章で大切なのは、自分の根っこにある気持ちや生き方にうそをつかないことだ。「そんなことはない、就職くらい、少々うそをついてもチャンスをつかまなくては」という人がいるかもしれない。では、それでいくとしよう。教育関係の企業に就職するために「私は子どもが大好きだ。教育には以前から関心が強く……」と書くとする。実は、子どもは苦手、教育問題は本で一夜漬けしただけだ。

どうなるか？

まず、自分が自信を持って言い切ることができないから、文章全体の歯切れが悪くなる。次に、同じ会社を目指すライバルに、本当に子どもが好きで、教育に関する体験を数多く積んできた人がいたとしたら、その実感から出る本物の言葉に勝てない。最後に、読み手は教育について知識も経験も豊富なプロたちだ。そういう読み手に対し、付け焼き刃の知識、自分を偽った言葉が説得力を持つだろうか？

文章はこの点で甘くない。自分の生き方にうそのない文章を書くことは、実は最も有利な戦略なのだ。自分の生き方に立脚して書くべきことを探してみる。この場合例えば、子どもは苦手でも、自分自身がかつて子どもだったはずだ。自分が家族に育てられ、学校教育を受けてきた過程を振り返れば、教育とクロスする問題が発見できるはずだ。それを発展させれば、りっぱな教育論になるし、根本思想と一致した本物の意見として力を持つだろう。

自分の腑に落ちるまで、自分の生き方にあった言葉を探し、言葉を発見し、自分を偽らない文章を書くことによってのみ、読み手の心は動くのだ。

第3章 伝わる・揺さぶる！ 文章の書き方——実践編

実践1

上司を説得する

第3章では、実践の中で、どう書くか？を具体的につかんでいこう。

実践1ではまず、人を説得する実践テクニックを身につける。説得は「論拠」にかかっている。これまで読んできたことをもとに、論拠をどう用意し、どう配列するか、あなたも一緒に考えてほしい。

説得のテクニックとあわせて、書く手順と文章構成の基本もわかるつくりになっている。

さて、上司の決定に反対のとき、あなたはどうするか？　組織の中では、意に添わない人事や待遇、不当な解雇さえ行われる。そういうとき、泣き寝入りをせず、自分の意志をしっかりと伝える交渉術を身につけていきたい。

〈上司への手紙—悪い例〉

和久井部長へ

部長が異動して、まだ間がないのに、初めてメールさしあげる失礼をお許しください。でも、来週発表の人事について、事前情報を聞き、あまりにびっくりしたものですから。

みんな言ってます。部長は、自分の趣味で、ポジションを決めてるんじゃないかと。そもそも、新商品開発プロジェクトのリーダーが、なんで本倉くんなんでしょう？　新商品開発には、商品知識が不可欠ではないでしょうか。本倉くんは、この春、部長と一緒に異動してきたばかりです。リーダーは絶対無理です。それに、前に本倉くんがいた部署の若い子から聞いたのですが、本倉くんは、上には忠実、部下には横柄、リーダーとしての資質にも欠けるということでした。

２年間、新商品開発の下地になる研究に取り組んできた開発２課のメンバーは、みんな、この人事に腹を立てています。

とにかく本倉くんをリーダーにする、はっきりした理由をお聞かせください。うちのような上場企業が、こんな不透明な人事をしてよいものでしょうか。場合によっては、常務にもお話しして、問題をはっきりさせようかとも思っています。

開発２課　域堂理子

下地となる研究に２年、取り組んできて、いよいよ新商品開発という段になって、商品知識もない人がよそからきて、リーダーに抜擢される。理子さんが怒るのも無理はない。

だが、怒りにまかせてこんな文章を書いてしまっても、出す前にせめて、次の３ポイント、いや、１つでもいいからチェックしてほしい。

相手はこれを読んでどう思うか？―チェック１

文章を出す前に、これを読んだ相手は、書き手である自分をどう思うか、ちょっと考えてほしい。

部長は異動したばかりで、まだ理子さんをよく知らない。この手紙が、理子さんの第一印象をつくる。部長はこの手紙を読んで理子さんにどんな印象を持っただろうか？

部長にしてみれば、「自分の趣味で人事を決める」と人間性を否定され、「リーダーは絶対無理」と判断を否定され、「常務にもお話しして」と脅される。

初対面の相手に、続けざまに自分のことを否定されたら、相手を信頼し、相手の話を聞く気になるだろうか？

人はだれでも、自分の価値を認めてほしいと思っている。自分を高く評価してくれる人のことは信頼し、自分を否定する人は、信頼しない。

理子さんは、この意味で、スタートラインにも立てていない。相手に対して感情的で反抗的なマイナスイメージを植え付け、以降の自分の発言力を弱くしただけである。

一番言いたいことは何か？—チェック2

自分が書いた文章から、「意見」を割り出してみよう。「和久井部長の人事は、間違っている」だ。これが、理子さんの本当に言いたいことなのだろうか？

的確な論点が立てられているか？—チェック3

論点は、「和久井部長の人事は正しいか？」になっている。これだと、部長が正しいか、間違っているかに終始する。広がりのないつまらない「問い」だ。そもそも、問題は、何なのだろうか？

以上、部長から見た自分の立場は悪い、言いたいことは言えていない、問題意識は低いことがわかる。これでは上司を説得することはできそうにない。

そこで理子さんには次のステップで文章を書くことをお勧めする。

結果をイメージする—ステップ１

何のために書くのか？　結果をイメージしよう。

理子さんたちの開発２課で、すばらしい新商品開発ができること、これが一番の結果だ。そのために、新商品開発にふさわしいリーダーが就くことが必要だ。

だれにどうなってもらいたいか、スポーツのイメージトレーニングのように、理想の状況を思い描こう。

さて、理子さんには具体的なイメージが描けているだろうか。もとの文章にあるのは、本倉くんではだめ、という否定だけだ。何かを否定するのは簡単だが、新たな考えを創っていくのは骨が折れる。その骨の折れる作業を相手まかせ、相手の負担としてしまう。だから否定するだけという方法は、状況を動かさない。

ではどうするか？　否定を提案に変えるのだ。新しい考えを出すという骨の折れる作業を自分で負担するから、効果が期待できるし、自分の理想を形にできる。

このように結果をイメージしようとすると、それを阻(はば)む問題点が見えてくる。そこに突破口がある。

論点を決める―ステップ2

論点とは、文章全体を貫いている「問い」だ。いい意見を生むために、論点を修正する。

現在の論点　和久井部長の人事は正しいか？
⇩
修正した論点　プロジェクトを成功させるには、だれがリーダーになるといいか？

建設的な意見が導けそうな問いだ。よし、これでいこう。

意見をはっきりさせる―ステップ3

いちばん言いたいことをはっきりさせよう。つまり、論点で立てた問いへ、自分の答えを出すことだ。決めるためには、細かい問いをいくつも立てて、考えがはっきりするまで自問自答を積み重ねることだ。例えば、下記のように。

- 候補としてだれがいるか？
- リーダーに必要な資質は？
- 候補者それぞれの長所、短所は？

理子さんが検討した結果、開発２課の田中晴夫さんがふさわしいという結論が出た。知識と経験なら、彼の右に出るものはいない。この２年間の経緯も熟知しているし、後輩たちにも尊敬されている。

意見がはっきりしたら、あとは理由（論拠）を固く積み上げることだ。

論拠を用意する—ステップ４

なぜ、田中晴夫さんがいいと思うのか。理子さんが、田中晴夫さんを選んだ理由をまず整理してみる。

リーダーにはどんな資質が求められるか？
　→商品知識と経験。

なぜ、商品知識と経験が必要と言えるか？
　→過去の成功事例、失敗事例から証明。

最も知識と経験がある人は？
　→田中晴夫さんだ。

理子さんは、以上のように論拠を整理した。商品開発に専門性がどのように関わってくるかは、１年前のテストデータで証明できる。また、外部の協力者を対象にしたアンケートから、開発担当の知識が乏しいことで、どのようなトラブルが生じるかも説明できる。

すべてを手紙に書き込むことは不可能なので、データや資料も添えるようにした。

これで、説得材料は固まった。

アウトラインをつくる—ステップ５

ここでは、最もオーソドックスな文章構成を示しておこう。頭に、論点（これから何について書くか？）を書き、次に論拠を筋道立てて説明し、最後に意見を打ち出す。論点→論拠→意見という構成だ。

論点　プロジェクトのリーダーにだれが適任か？
提案をさせていただきます。

論拠　リーダーにはどんな資質が求められるか？
→商品知識と経験。

なぜ、商品知識と経験が必要と言えるか？
→過去の成功事例より、開発に専門性がどのように関わるか？（データを添える）
→研究所のアンケートより、開発担当の知識が乏しいことで、どのようなトラブルが生じたか？（資料を添える）

最も知識と経験がある人はだれか？
→田中晴夫さんだ。高い専門性で、迅速な意思決定、質の高い商品開発が期待できる。

意見　ゆえに、リーダーには田中さんが適任と考えます。

1～5までのステップで、文章の骨格はできあがった。これに添って文章を書けば、言いたいことがはっきりし、その理由を筋道立てて説明する、説得の文章ができあがる。

はじめの手紙は、部長への批判・反抗という悪い印象を与えるものだった。だが、改作したものは、建設的な提案で、ぐっと印象はよくなっている。論拠の部分では、理子さんの仕事に対する真摯（しんし）な姿勢と、経験・知識の豊富さもアピールできている。否定するだけでなく、「ではどうするか」もちゃんと示せている。ＯＫ！だ。

読み手はこれで納得するか？

さて、そこで次の段階だ。説得の文章を出す前に、チェックしなければならない最大のポイントは、これで、読み手は納得するか？だ。

そこで、アウトラインをチェックしてみよう。おや？　この文章には何か肝心なことが、抜け落ちている。私はこれで部長を説得できるとは思えない。

第２章第５節の「論拠」のところ、パソコン購入の母と息子のやりとりを思い出し、ピン！ときた人はさすがだ。

説得は相手の「理由」を知らなければ始まらない。

この鉄則を思い出そう。説得というと、自分に都合のいい理由ばかりを集めて、畳み掛けるようなことになりがちだ。だが、これでは、説得力は生まれない。

例えば、死刑制度に賛成の人が、賛成者の賛成理由だけを集めて論拠にしても、反対者の心は動かない。反対者の反対理由を押さえてはじめて説得がはじまる。

理子さんもそうだ。

データや資料をたくさん用意したつもりでも、それらはすべて「開発には専門性が必要」という１つの角度からのもの。

理由の「数が多い」、ということと「多角的にものを考える」こととは違う。多角的にものを見るには、最低でも次の２つを実践する必要がある。

1. 自分の立てた論に自分で反論してみる。

2. 対立する相手の「論拠」を押さえる。

では、この２つをやってみよう。

自分の論へ反論する―グレードアップポイント１

反論をするポイントは、自分の「意見」と「理由」。自分で反論して自滅してしまう論なら、最初からそれだけの論だったのだ。思い切って反論してみよう。

理子さんの意見　プロジェクトリーダーには、専門性に優れた田中さんしかいない。

⇩と言うが……

反論　開発リーダーに必要なのは、専門性だけか？　ほかに優先すべき能力があるのでは？

理子さんの理由　過去の成功事例からも、トラブルの事例からも、開発に専門性が必要と証明できる。

⇩と言うが……

反論　会社の状況は、過去と今とでは違うのでは？　質の高い商品開発ができることだけが目的か？　売れる商品をつくるという目的はないのか？

こんな風に自己反論すると、自分の立場が冷静に見えるし、争点もはっきりする。この場合は、「新商品開発のリーダーに求められる能力とは？」が争点となりそうだ。

部長がもし、専門性が必要だという認識がなくて、本倉くんをリーダーにしようとしているなら、理子さんの手紙は一石を投じるだろう。しかし、部長が専門性のことは百も承知で、それよりも別の能力を重視していたらどうだろう？

「専門性」一辺倒で押し切った（柔軟性のない）理子さんの手紙では説得しきれない、ということになる。

相手の「論拠」を押さえる―グレードアップポイント２

これは、可能であるなら本人に聞いてみるのが一番だ。説得のために相手に取材する。

理子さんが聞いた部長の「論拠」は次のとおりだ。

「本倉くんは、前部署で、売れ行きが伸び悩んでいた商品の単年度の売上を倍にした実績を持つ。彼は経営数字に強く、調査に基づいて、はずさない商品改訂を行い、飛躍的に売れ行きをのばした。今、当社に必要なのは、短期間に利益効率を上げられるリーダーだと思う。新商品開発は利益効率重視で行いたい」

部長が本倉くんを押す理由は、「専門性よりソロバンのはじける人間」、つまりはそういうことだ。自分と相手の論理の違いを整理してみよう。

理子さん側　開発に専門性は不可欠。質の高い商品開発をするために、専門性の高いリーダーが必要だ。

部長側 開発は利益効率重視。利益効率を上げた実績を持つ人にリーダーをやらせたい。

さて、この物別れの壁をどうしたらいいのか？　理子さんが、いかに専門性が必要かという理由を積み上げても、部長が、「あなたはそう思うだろうが、私はそう思わない」と言えば、おしまい。あなたはあなた、私は私、で平行線をたどるだけだ。

- 自分の意見が通ればいいのか？
- 部長の意見を通してあげればいいのか？
- 多数決の論理が通ればいいのか？

上司の指示に従うことが、組織の一般的なルールだと考えてしまいがちだが、それだけではだめだ。会社、ひいては社会は、多様な考えの人で成り立っている。自分にとっても、部長にとっても、会社にとっても、顧客にとっても、「より良い」と思える答えを、自分自身で発見していく必要がある。

自分の殻を破って、視野を広げてみよう。

視野を広げる—グレードアップポイント3

「新商品開発のリーダーに求められる能力とは何か？」

この「問い」を固く抱いて、固定観念は置いて、見たり・聞いたり・調べたり、視野を広げる旅に出よう。

- 時間軸をさかのぼってみる。
- 現代の社会に目を広げる。
- 文献にもあたってみる。

限られた時間では、このように意識的に角度を変えてみると効果的だ。

⑴時間軸をさかのぼってみる

問題はいつごろから始まったのか、今起こっている問題と同じようなことが過去にもなかっただろうかと、背景や歴史をたどってみるという角度だ。

理子さんは会社の歴史をたどってみた。入社以来、開発のリーダーは専門性を備えた人物がなるのが常識だった。ところが、3年くらい前から、会社の規模が急激に大きくなってきた。そのころから、仕事で合理性や利益効率が重視されるようになりリーダーの人選の基準が変わってきているようだ。

⑵現代の社会に目を広げる

社会で起こっている出来事や、他のところでの具体的事例などに、今起きている問題と関連することがないか、調べてみる。

社内・社外への取材や、新聞記事のキーワード検索、インターネット検索など、調べる方法はいろいろある。

リーダーの人選を、他の会社ではどうしているのか？　理子さんは、ユニークな商品開発で愛され、成功しているA社の人事に興味を持った。つてを頼りに、A社の人に、直接、話を聞くことに成功した。

〈他社の事例はどうか？－A社の人の話〉

A社は、創業者も技術畑であり、以来、開発のリーダーには技術色の強い人間がなってきた。しかし、近年、利益効率重視の人材がリーダーになるケースが増えてきている。合理化・効率化は、社会全体の止められない波のように思う。

だが、近年、急激に合理化・効率化を進めてきたＡ社も、ここへきて、見直し段階に入っている。

Ａ社の場合では、仕事の合理化・効率化は、短期的な業績の「改善」には効果があることがわかった。昨年より今年、というように短期的に成果を上げることはできるが、その効果が長期的に持続しない。

長期的にビジネスを成功させるには、新しいものを「創出」することが必要だ。しかし合理化・効率化だけでは、「創出」に結びつかない。

では、新しいものを「創出」するには、リーダーにどういう要件が必要か？　これはまだ、Ａ社でも具体化できていない。そこで、現在は研究会を組織して、創造的な仕事のための組織・人事のあり方を模索している。

Ａ社という比較対象を得たこと、しかも先進の事例を踏まえたことで、理子さんは、自分が抱えている問題を、より相対化することができた。自分が今、直面している問題も、社会動向と無関係ではないことを知った。先進のＡ社が頭を悩ませてもまだ解決しない問題であることもわかった。合理化・効率化の反省段階に入っているＡ社に比べ、これからそこに拍車をかけようとする自社の位置関係もわかった。

(3)文献にもあたってみる

本に書いてあることを、必ずしも鵜呑みにできないが、文献を読むことで、俯瞰的、体系的に問題を見られるようになる。視野を広げる1つの方法として、テーマに関連した文献に手を伸ばしてみるのもいい。

理子さんが書店に行くと、組織論や共同体に関する本がたくさんあった。時間がないので、よさそうなのを1冊だけ読んでみることにした。そこには、創造的活動のリーダーの要件として、「高い志を示し、メンバーを鼓舞する力」とあった。

(4)問題を整理する

集めてきた情報をもとに、問題の全体像を整理してみる。問題の背景・先進事例・学問的な見識。こうした客観的な足場をつくることは、相手と共通の土俵をつくることでもある。

(5)再び自分自身へ

さて、ここからどんな意見を出すか。同じ事実を前にしても、考え方は人によってずいぶん違う。育ってきた環境や体験、思想、世界観は1人ひとり違い、自分とまったく同じ考え方をする人はいない。だからこそ、自分が考え、意見を表明する価値がある。

理子さんも、利益効率重視の波は止められないとあきらめるか、会社がその方向だからこそ、専門性、「創出」の必要性を訴えるか。結論の出し方は多様だし、どれか1つだけが正しいわけではない。そこに考える面白さがある。

さて、理子さんは、やはり専門性の必要を訴え、リーダーを田中さんで、という、もとの意見で通すことにした。

ただし、いろいろ視野を広げたため、論拠は最初のものから、ずいぶんと変わった。それを次に示そう。

再反論のあるアウトライン―グレードアップポイント4

より説得力のある論理構成にするためには、論拠を示し、それに対し相手から予想される反論を自分で示し、それに再反論する、という手続きをとることだ。

理子さんの場合では、「リーダーには専門性が必要」と書いた時点で、相手から「いや、利益効率の方が大切」という反論が当然予想される。それをあらかじめ自分で書いて、さらに反論するのだ。

実際のアウトラインで示してみよう。

論点　プロジェクトのリーダーにだれが適任か？
提案をさせていただきます。

⇩

論拠　リーダーにはどんな資質が求められるか？
→商品知識と経験。

⇩

なぜ、商品知識と経験が必要と言えるか？
→過去の成功事例、トラブルから。

⇩

予想される反論　リーダーには、専門性より、利益効率を重視した方がよいとの声がある。

⇩

再反論　利益重視で専門性に乏しい商品開発は、短期的な「改善」にとどまり長期的な利益に結びつかない。長期的な利益を生むには、まったく新しい「創出」が必要で、そのためには専門性が不可欠。

⇩

論拠　なぜ、そう言えるか？
→先進の会社の事例、当社の過去と現在の利益構造の比較より。（データを添える）

⇩

最も知識と経験がある人はだれか？
→田中晴夫さん

⇩

意見　ゆえに、リーダーには田中さんが適任と考えます。

理子さんは、「開発＝創出」と「改善」の差、改善は短期に利益をあげ、創出は将来的な利益を生み出すということに着目し、そこを説得の肝（きも）にしたようだ。

さて、あとはこのアウトラインに肉付けして文章にまとめていけばいいのだが、もう１つ、説得力を増す、意外な方法をあげておこう。

自分の信頼性を高める――グレードアップポイント５

人を説得するためには、まず、自分という人間を信頼させなければならない。あなたが何かを発信する前に、相手から、「この人物の言うことは、信頼できる、役立つ」と思ってもらうことが必要だ。

先述のように、人は自分を理解してくれ、評価してくれる人に信頼をよせ、その人の話には、素直に耳を傾ける。理子さんと部長の間に、信頼の絆ができていれば、意見は通しやすいということだ。

ところが、部長は異動したて、信頼どころか、まだお互いをよく知らない。

そんなときは、相手が、どんな仕事をやってきたか、どういうことを大事にしてきたかを、まず調べてみる。

仕事の成果が形になっていれば、それを見たり、彼がこれまでにまとめた報告書の類いがあればそれを読んでみる。

相手の過去の仕事や、取り組む姿勢に、心から共感できることがあれば、それを文章の頭においてみるといい。相手が大事にしているところを的確に認めることで、初対面の2人にも信頼が生まれる。もちろん、共感できることが1つもなかったら、うそをつく必要はないのだから、何も触れなければいい。

「あなたの仕事に、私はこう共感しました」「あなたのこんな姿勢を尊敬しています」と言われれば、相手の緊張もなごみ、聞く耳を持ってくれるだろう。

こういうことも、人間関係をスムーズにする術として、知っておいてよいことだ。

実践2

お願いの文章を書く

人は、1人では生きていけない。仕事でも、プライベートでも、いったいどれくらいの頼みごとをするのだろうか。

企業で編集の仕事をしていた私は、外部の人に原稿や取材をお願いする側だった。独立してからは、執筆や講演などの依頼を受けるようにもなった。

依頼する側とされる側、両方の立場を経験して、依頼文書は書き方がまずいと、非常に相手を傷つけてしまうものだということが、身をもってわかった。

せっかくインターネットがあっても、自分の文章力がバリアになっていては、世界の人とつながることはできない。

最低限、相手にとって失礼にならず、うまくいっても、断られても、さわやかな印象を残せる依頼文が書けるようにしておきたい。

では、初めての人に文書で依頼をするケースを考えよう。私は、例えば、こんな依頼文書を書いていた。手本としてでなく、たたき台として、まず、ざっと読んでほしい。

蓮井健次郎先生

拝啓

突然、お願いを差し上げる失礼をお許しください。

私は、A社の編集者で山田ズーニーと申します。

私が担当しております『A誌』は、全国、約25000人の高校生を対象に、自分でものを考え・書くことを、できるだけ面白くやっていこうという、月刊の教育誌です。創刊以来20年、環境・文化・科学など、さまざまなテーマを取り上げ、全国の高校生と一緒に考えてきました。

この6月号で、「リアルとバーチャル」という特集を組みます。コンピュータ社会は現実感が薄いと言われますが、「そもそも現実って何?」というところから高校生と考えてみたいのです。

そこで、ぜひ先生に、高校生に向け、「コンピュータ社会に生きる私たちにとって、現実とは何か?」というテーマで、お話しいただきたいのです。

先生の作品は高校生にも厚く支持されています。最新作の『THEO』を拝見し、コンピュータを駆使した非現実の世界でありながら、私自身、自分のことを言い当てられているようなリアリティを覚えました。

具体的には1時間程度のインタビューをさせていただき、こちらで記事にまとめさせていただければと思います。別紙に要項をまとめましたので、ご確認ください。

後ほどこちらからお返事をうかがう電話をいたします。ご不明な点は、その際、何でもお尋ねください。ご検討、よろしくお願いいたします。

敬具

A社 『A誌』編集部　山田ズーニー

さて、仕事の内容や目的は違っていても、依頼文にはいくつかの共通するポイントがある。ここではそれを具体的に考えていこう。

依頼文の要素を決める―ステップ1

まず依頼文に盛り込む要素を考えよう。ここでも、次のように文章の基本「意見」と「論拠」が重要だ。

意見　何を、お願いしたいか？

論拠　なぜ、お願いしたいか？

言いたいことをはっきりさせ、その理由を筋道立てて説明する。これでなんとか、依頼文の形にはなるのだが、まだ何か足りない。

目指す結果をイメージしてみよう。相手が納得の上、快く依頼を引き受けてくれること、それがゴールだ。

そのためには、意見と論拠以外に判断に必要な情報、やりたいという意欲をわかせる情報が必要だ。

そこで、自分が人からものを頼まれたとき、何が気になるか？ということを素直に考えて洗い出してみよう。

- 何を頼まれるのか？
- なぜ、私なのか？
- それは私がやりたいことか？
- 依頼主はどんな人か？
- 期日・謝礼など条件は？

- 私にできることか？
- だれのどんな役に立つのか？

これらだれもが気になる点を、相手側から見て、わかりやすく配列していけばいい。例を挙げよう。

〈依頼文の構成〉

挨拶

⇩

自己紹介（私はどういうものか？）

⇩

志（何を目指しているか？）

⇩

依頼内容（何をお願いしたいか？）

⇩

依頼理由（なぜ、あなたか？）

⇩

条件（期日・謝礼などは？）**＊別紙要項に**

⇩

返事を伺（うかが）う方法・締めの言葉等

このうち、条件などの具体的なところは、「要項」として別紙にまとめるといい。要項には、

- いつ？
- 具体的に何を？
- どれだけ？
- どういう方法で？
- ねらいは？
- 謝礼は？

など、判断に必要な情報を簡潔に書く。見本など添えるとさらにわかりやすい。「手紙＋別紙の要項」と、２枚に分けて書くこと。なぜ、分けるかというと、目指す結果が違うからだ。

「手紙」の方は、やる気を引き出すことを目指す。だから、気持ちをこめて書く。一方「要項」は、やることがわかることを目指す。だから客観的に書く。

では、やる気を引き出す手紙はどう書けばいいのだろう。

自分をどう信頼してもらうか？—ステップ２

次に、自己紹介、というか、仕事紹介が必要だ。

まったく初めての人に、自分の仕事を、いかにわかりやすく、いかに相手の共感が得られる形で説明できるかが、最初のポイントだ。あなたは日ごろどんな自己紹介をしているだろうか？

例えば、よくあるこんな説明はどうだろうか。

私はＡ社企画部開発２課の山田太郎と申します。

企画部って何するところ？開発って何の？２課って何？と、これではよくわからない。単に所属や、肩書きを言うだけでは自分を紹介したことにならない。次はどうだろう？

私は、Ａ社におきまして、シニア向け新商品開発を担当しております、山田太郎と申します。

社内では、「シニア向け新商品」で通じるだろうが、外部の人間には全然わからない。外から見てピンとくる表現に直す必要がある。

- だれに？
- どんな価値を提供する仕事か？
- 社内用語、業界用語を使わず平たく言うと？

の3つに注意して説明してみよう。

Ａ社の山田太郎と申します。私は自動車メーカーで、高齢者が操作しやすく、安全性も高い乗り物、つまり、「お年寄りに優しい新しい乗り物」を開発しています。

これでかなりイメージしやすくなった。「なかなか面白そうな仕事じゃないか」と、相手の興味・共感が得られれば、あとの依頼はずっとしやすくなる。

初対面の相手に信頼を得る、という意味で、やはりブランド力のある会社に勤めている人は便利だ。社名を出せば、あまり説明をしなくてもある程度信頼してもらえる。ただし、便利ということは、それ以上でも以下でもない。あとの依頼の成否は本人次第だ。

一方、ブランド力に頼れない人は、自分の存在や仕事、組織を、少し詳しく説明しなければいけない。私も、大きな企業にいたときは依頼がスムーズだったが、独立してからは苦労した。まったく知らない会社の知らない人から依頼がきたら、相手だって不安なのは当然だ。会社概要や自分のプロフィールを添えたり、信頼してもらう工夫が必要だ。

何を頼まれるかより、だれから頼まれるかの方が雄弁なときもある。入り口のところで、自分が信頼されなければ、後の文章は読んでもらえないことさえある。この厳しさを認識し、自己紹介には細心の注意を払おう。

やる気を引き出す依頼理由―グレードアップポイント１

依頼の手紙で一番心がけたいのは、相手のやる気を引き出すことだ。それさえできれば、うまくいってもいかなくても、相手に爽やかな印象を残すことができ、それが次につながることだってある。

逆に、相手のやる気をなくさせるような書き方は、絶対にしてはいけない。例えばこんなことだ。

⑴自分の都合ばかり並べている

「引き受けていただけないと私が怒られるんです」「せっぱつまって困ってるんです」と自分の都合を押し付けても、相手には関係のないことだ。楽をしたいとか、甘え、エゴでは、人は動かない。

⑵だれでもいいというような扱い

「他に断られたので、まあ、しかたなくあなたに」とか、「だれでもよかったので、とりあえずあなたに」という物言いは相手を傷つける。また、相手のキャリア・実力を尊重せず、だれでもできるようなことを頼むと、それだけで傷つけてしまう場合もある。

逆にやる気を引き出す方法はいくつかある。

⑴志に共感してもらう

目指すこと、だれに、どんな価値を提供したいかを説明し、相手に「意義あることだ、ぜひ協力したい」と思ってもらう。これができれば、一番すばらしい。

⑵面白いと感じてもらう

興味・関心を引き出すアプローチ。「面白そうだな」と思ってもらう工夫をする。

⑶相手がやる必然性がある

相手の能力・資質・実績などから、相手がやる意味・必然性を感じてもらう。「自分がやりたいことだし、自分にしかできない」と相手が思ってくれたら、とてもいい。

正直な依頼を—グレードアップポイント2

依頼を成功させようとすると、つい、良いことばかりを書き、都合の悪いことは伏せておこうとしてしまう。しかし、そういうやりかたは、結局は効率が悪い。運よく引き受けてもらったとしても、仕事が進行し、悪い条件が明らかになると、「こんなはずじゃなかった」と、相手が一気にやる気を落とすからだ。

依頼文が目指す結果は、実は引き受けてもらうことに留まらない。その先の成果までを視野にいれなければならない。

だとすると、あまり無理強いをせず、いい情報も悪い情報も、ある程度正直に書いて、相手に考える時間をあげて、相手に決めてもらうのがベストだ。

こちらが一方的に押しきるのでなく「最終的には、自分の意志と責任で、この依頼を引き受けた」と相手に思ってもらえたら、その依頼は成功だ。

依頼文の1人称―グレードアップポイント3

これから、お願いの文書を書こうというあなたに、最後に、次のことを聞きたい。

あなたはだれですか？

「え？　そんなわかりきったことを……」と言わないで考えてほしい。依頼文の「1人称」をだれにするかというのは、依頼文を書くときのとても重要なポイントだ。

先の依頼文を見ると、私には、少なくとも3つの顔があることがわかる。

- A社の社員としての私
- 編集者として読者を代弁する私
- 個人としての私

あなたも、

- 組織を代表している自分
- 仕事を受け取る人たち（顧客）を代弁する自分
- 自分個人

という、いくつかの顔を持っている。依頼文を書くとき、どの顔で書いているか、ちょっと意識してみよう。わかりやすくするために、極端に、3つの顔を使い分けて、取材依頼をしてみよう。

A社の社員としての私

先生のメッセージは1人ひとりの成長を支援するという弊社の事業方針に重なるところが大きく、取材をお願いできれば、弊社としては大変幸いです。

編集者として読者を代弁する私

このテーマについての読者の見解は、良いか、悪いかの両極端です。先生なら、別の角度からこのテーマを考えるきっかけを読者に与えることができるのでは、と思います。読者が先生のメッセージを待っています。

個人としての私

私事で恐縮ですが、先生の大ファンで、高校時代から先生の作品はすべて観せていただいております。ぜひ、お仕事をさせていただきたいと想っておりました。

このうちのどれかに「1人称」を決めなければいけないということではない。どの立場を選んでも長所・短所がある。

例えば、「弊社が……」と、組織を1人称にする場合。面識のない相手に対しては、個人で向かうより説得力が出る。ブランドイメージのよい組織ならなおさらだ。相手も、組織ぐるみで期待を寄せてくれるのは、心強いだろう。

しかし、「弊社が……弊社が……」とやりすぎると、組織の権力を笠に着た、慇懃無礼（いんぎんぶれい）な印象になる。

一方、「顧客を代弁する私」はどうだろう。編集者が読者を、レストランのオーナーがお客さんの声を代表してことにあたる。これは、受け手の方も、仕事の意義がわかりやすい。

例えば、レストランのオーナーが、内装工事の人に、「お客さんが落ち着いて食事ができるように、壁紙はシンプルにしてください」とお願いすれば、オーナーの個人的な趣味だというより、ずっと伝わりやすいだろう。

ただこれも、顧客を代表するだけの根拠がないと、うさんくさくなってしまう。また、例えば、「あなたがこの仕事を降りれば、100万人の読者が黙っていませんよ」などと、やりすぎると水戸黄門の印籠（いんろう）のように、相手を威圧してしまう。

３つ目の顔、「個人としての私」はどうか。

いくら仕事だからと言っても、まったく個人の立場をなくすことはできない。私は以前、あるデザイナーとやりとりをしていたとき、こんな風に怒られたことがあった。

「読者が……、会社が……って、じゃあ、山田さん自身は、このデザインについてどう思うんだ？　僕は、山田さんの意見を聞きたい！」

顧客アンケートや、会社の方針などにとらわれすぎると自分が空洞化してしまうことがあり、相手に不快感を与えてしまう。仕事のシーンでも、時に、率直な自分の意見を言う方が、信頼を得るための近道になることがある。

逆に、個人が全面に出過ぎるのも、どうだろうか。
「私はずっと前から、あなたの大ファンで、あなたと仕事をするのが夢だった……」と言われれば、相手はうれしいだろう。それは、伝えてよいことだ。

ただ、それだけで、人を動かす力になるだろうか？

依頼される側から見たら、「あなたはファンとしての自分の満足のためだけに私に仕事を頼んだのか？　そんな個人の趣味で仕事を決めちゃっていいの？」ということになりかねない。

私は、新米のころは、これらの１人称をほとんど意識することはなかった。でも、依頼をして断られたり、うまくいったりと、試行錯誤を繰り返すうち、「読者の代弁者である私」をメインにする形に自然に落ち着いた。

くわえて要所に、Ａ社の社員としての顔、私個人の顔がのぞく、というスタンスだ。

編集者としての私自身も、担当していた雑誌も、残念ながら、名前を言えばピンとくるようなメディア力はなかった。

一方、雑誌の存在を知らない第一線で仕事をされている方たちも、これからの時代を担（にな）う高校生には、関心を持っており、コミットしたいと思っている。

だから、「私が、私が……」と自分をアピールするより、読者の高校生の顔が見えるような依頼をする方が、ずっと楽で確実、ということが分かってきた。

それは自分にとって、関係の発見でもあった。

上記は、あくまで私のケースだが、あなたと、相手と、組織と、顧客、それらの関係の中で、今、依頼をしている「私」は何者か？というあなたの立場を発見してほしい。

個人の想いを大事にしながらも、自分のやろうとしていることを広い目でとらえて、そこに関わっている人たちを見失わないようにする。

そのグッドバランスが最強の１人称になる。

実践3

議事録を書く

「議事録をとって」

社会人に成り立てのころ、そう言われて困った。何を記録すればいいんだろう？　そこで、重要そうな発言を、次々メモしていった。会議に参加するどころではない、ひと言も書き漏らすまいと必死だ。急いで書くので、メモは人に見せられないものになる。だから会議の後にワープロで清書する。

時間がかかった。でも、そうしてまとめた議事録を配るとき、自分でも「これを配る必要性はあるのか？だれも読み返さないのでは」と思った。

案の定、それは先輩たちのファイルにしまわれ、以降、役立った形跡はない。やはり時間の無駄だった。

私が書いたのは、議事録というより、ランダムな発言録だったのだ。以降、いろんな人が議事録をとって配ってくれるのだが、やはり、読み返さない。かなり長い間、議事録を何のためにとるのかが謎だった。

発言でなく論点に着目

文章指導で、「論点」という発想をつかんだとき、「そうか！　発言を書くのではない」と、あることがひらめいた。今は、こんな議事録を書いている。144～145ページの例を、まず、ざっと見てほしい。

議事録を書くいちばんのポイントは、

議題を「問い」の形にして頭に大きくはっきり書く。

これにつきる。ここが、最も難しく、腕の見せ所だ。

なぜなら、私たちは、会議をしたり、ミーティングをしたり、人と会うとき、事前に「論点」を確認する習慣がないからだ。

例えば今日、あなたはだれかと会っただろうか？「そのとき、何を話したのか？」と聞かれれば、「こんな話もした、あんなことも言った」と発言は思い出すだろう。では、「何について、話していたのか？」、論点を、1つの疑問文の形ではっきりさせよ、と言われたら、これが、実に難しいのだ。論点という発想が日本ではとても弱い。

だから、会議も、「秋の区民祭りについて」などと、漠然とした形で始まり、出席者が、おもむろに話しながら、なんとなく、会議終了時、ある方向に着地している。

議事録は、若手に頼まれることが多い。あらかじめ、議長が、「秋の区民祭りの開催日時はいつにするか？」とか、「秋の区民祭りの後援をどこに依頼するか？」とか、「問い」をはっきりさせてくれたら、議事録を書く方も楽なのだが、あまり、そんなことは望めない。

ほとんどの人は会議、ミーティングに出ていながら、「いったいこれは、何の会議？」「いま、何について、話しているのだろう？」「私は、何で呼ばれてい

〈議事録〉秋の区民祭り　第２回会議　　　　**文責：山田**

議題

区民祭りのねらいは？
参加者にどういう価値を提供するのか？

日時・場所	200X. 9 .11 14:30 - 17:00　区民会館
出席者	榊原・小泉・柏野・菱川・山田

前回までの流れ

- 区民祭りにどんなアイデアがあるか？　各自、案を持ちよりブレストをした。
- アイデアを絞るには、「祭りのねらい」が先決。
- 菱川・山田で、「ねらい」の案を出すことになった。

本日の会議の位置付け・流れ

ねらい決定の会議。
菱川・山田のたたき案をもとにメンバーで検討し、最終的に、ひとつのねらいを打ち出す。

- 山田、菱川の仮説提示→検討。
- 各種地域イベントの成功例ＶＴＲ視聴、失敗例データ読み込み。
- ねらい決定のための討論→決議。

議事の要点

1. ターゲットはだれか？　昨年、参加が著しく悪かった10代・20代に、来ようと思わせる企画であること。かつ、毎年、楽しみに来ている中高年層にも歓んでもらえること。
2. ゴールをはっきりさせたい。区民祭りを楽しんだあと、ゴールとしてどんな気持ちなり、状態になっていればよいのか？

本日の決定事項

世代間交流をねらいとする。例えば、高齢者と子ども、10代と40代というように、違う世代間に、自然と会話が生まれ、交流が図れる場と機会を提供する。

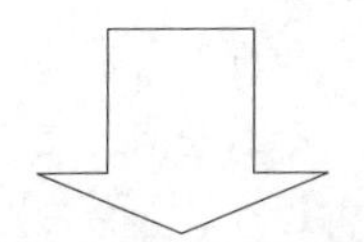

今後の課題

世代間に交流が生まれる場とは？
それを具体化する案とは？

次回の予定

次回会議は、菱川・山田それぞれに、世代間交流とは何か？の構造化、具現化のアイデア、を用意し、メンバー全員でたたく。他メンバーも、１人１案持ってくること。（22日13：00～区民会館）

るのだろう？　どう絡（から）めばいいのだろう？」と、思ったことが、一度や二度はある。

このような、まったり混沌とした会議も、後で出席者に配布する議事録の書き方を工夫するだけで、論点を浮かび上がらせ、「あの会議は何だったのか？」ということを、みんなに整理して伝えることができる。

いい発言を、おもむろに書き付けるだけなら、議事録は時間の無駄、やめた方がいい。発想を変えよう。

出席者が、「何を」話しているかではなく、「何について」話しているか？　発言の裏にある、「問い」つまり論点に注目して聞き、メモをとるのだ。

いい発言をする人、また、会議の流れを変えるような発言をする人は、必ず、「いい問い」を持っている。そこまで話し合われていた「問い」の方向を、ググッと良い方へ転換させているはずだ。その「問い」が何かを考えよう。

そして最終的に、今日の会議は、結局何について話されていたのか？　それを考えて、1つの疑問文にして議事録の冒頭に書こう。もちろん、様々な論点が、複数採り上げられたり、途中から論点がそれたりして、もやもやしたまま会議が終わってしまうことだってあるだろう。しかし、そんなときこそ、最も中心になる論点を探し出すのが大事なのだ。

中心論点が明文化されていれば、議事録をもらった出席者たちも、「おお！　そうそうこの会議では結局〈ねらい〉を決めたんだな。そういうことか。話し始めて、なんだかわけがわからないまま声の大きい方へ落ち着いたような気がしていたが、あれは、ねらいの決定会議だったのだ。そう言われれば、間違いなくそうだった」と自分たちのやっていたことの位置付けがわかり、とても助かるだろう。

実際書いてみると、中心論点を抽出し、問いの形に直すところは、相当難しい。だが、この作業ではとても頭の筋肉が鍛えられるので、文章を書く上での格好のトレーニングになる。諦めずにトライしよう。

議題を「問い」の形にして、はっきりさせれば、あとは、議事録は書ける。

まず、問いに対して、どんな「答え」を出したか？これが、その会議での「決定事項」だ。ラストに書けばいい。

「問い」と、「答え」の間には、その問いをどんな手順・方法で検討したか？（会議の流れ）、その問いに答えを出す上で、何を大事にしたか？（議事の要点）を、優先順位を決めて、大きなものから3つ程度書けばいい。細かいことはいらない。優先順位をつけるのが仕事だ。ここまでできれば、まず議事録としては合格だ。

前後の流れを明示する―グレードアップポイント1

その会議の、1つ前と、1つ後の展開を書いておくと議事録としては、より役に立つものになる。

会議というものはとかく混沌としがちだ。いろいろな人がいろいろなことを言う。自分たちは、いま何について話し合っているのかわからなくなり、向かうべき方向を見失う。最悪の場合、会議が転覆することもある。それまでの論点を打ち消すような論点、例えば、「秋の区民祭りは、本当にやる必要があるのか？」のようなものが出てくるからだ。

こうならないために、どうすればいいか？　本書でやってきたことを思い出そう。「いま、どこにいるか？」を知るためには、「今」だけを照らしていてはつかめない。視野を過去へ、そして、未来へ。つまり、「前回までの流れ」と「次回の予定」を書くことだ。このような議事録を配っておけば、当日の会議のポジションは、だれの目にも格段にはっきりする。

自らが会議を主催し議事録も作成する場合は、自分の頭を整理するためにも、あらかじめ、「前回までの流れ」と「本日の議題」、「次回の予定」のところは、議事録に書き込んでおいて、会議に臨むとよい。もちろん、当日の議事で「次回の予定」は変わることがあるが、仮説でいいから打ち出そう。そうすれば、会議の入り口と、出口がはっきりするから、迷ったときに戻れるし、会議が転覆する恐れはない。

会議の位置付けを書く―グレードアップポイント2

会議の位置付け、つまり、「問い」に対してどうする会議なのか？　それも書いておくとわかりやすい。

問いに対して、1つの答えを出すのなら、それは、「決定のための会議」という位置付けになる。

一方、「問い」に対して、あんなのもある、こんなのもある、と、次々と案を出し、膨らませることが目的で、答えを決めない会議なら、「ブレスト」だ。

会議の位置付けによっては、出席メンバーまで変わってくる。

決定の会議と言うなら、決める権限を持つ人に出席してもらわないと意味がない。また、アイデアを膨らませるブレストなら、ちょっと発想のユニークな人に、その回に限り、ゲスト参加してもらうのもいい。

「今後の課題」を疑問文で書く―グレードアップポイント３

今後の課題とは、次回の会議の議題よりも大きな、方向性だ。これもやはり疑問文の形にして、はっきりさせよう。次の目指す方向を、メンバー全員で共有できるので、情報が集まりやすいし、次の会議への準備もしやすい。

良い会議のアウトライン

先にあげた議事録の例で、「問い」に注目して会議そのものの流れを追うと、次のようになる。

前回の問い　区民祭りにどんなアイデアがあるか？

⇩

様々なアイデアがあり絞れない。では、

⇩

今回の問い　区民祭りのねらいは？

⇩

世代間交流をねらいとする。では、

⇩

次回の問い　世代間に交流が生まれる場とは？

このように、議題の問いが、論理的につながり、最終会議の結論へ至ることがわかるだろう。これは何か

に似ていないだろうか？　そう、実践1の「上司を説得する」で採り上げたような文章のアウトラインだ。いい会議をすることは、いい「問い」のある文章を書くことに似ている。

議長が、今後の課題・次回の予定やメンバーそれぞれがやってくることを示してくれなかったら、その場で聞いてもよいし、あとで聞きに行ってもよい。

このような議事録を配れば、みんなよく読み、会議の準備のために読み返し、次の会議のときも持ってきて、机の上に置いてくれるだろう。

会議やミーティングを成功させる秘訣も、文章と同様、「問い」にある。「問い」に着目した議事録が、書けるようになれば、自分が会議をするときも、議事進行をうまく切り盛りできるようになる。それだけではない。メンバーの会議への意識をグッとアップさせることだってできるのだ。

実践４

志望理由（自薦状）を書く

「真面目に努力していれば、いつかきっと、だれかが気づいてくれる」。この考えは、イエスであり、また、ノーだ。企業にいた私は、最後にものを言うのは実力だと思う反面、自己アピールのうまい人が、さっさと欲しいポジションを獲得していくのを目の当たりにしてきた。実力があるのなら、それに見合った、自分を伝える術（すべ）を持つべきだ。

というわけで、ここでは、自分がやりたいことのために、相手から選ばれる志望理由書・自己推薦状の書き方をつかんでいこう。私がここで想定しているのは、

- 就職試験・オーディションの文書またその面接。
- 推薦入試・ＡＯ入試、およびその面接。
- 会社で異動希望を出すとき。
- フリーランスの人のクライアントへの売り込み。
- 趣味やサークルその他の活動への参加。

のようなシーンだ。

「どこでもいいんじゃないの？」

大学入試には、推薦という枠があって、日ごろの成績がしっかりしていれば、学科試験はなく、小論文や面接だけで入学できる。そのときポイントになるのが、志望理由だ。私は、ある日こんな質問を受けた。

「私は推薦入試をねらう受験生です。そこで、学校の

先生に“まずは、『志望理由』を書いてきて”と言われたのですが一体どうしたら……と悩んでしまいました。なぜその大学か？　授業料が安い。見学に行ったときに施設が充実していた。なんて言うか……どこでもいいんじゃないの？っていう理由しか浮かばないんです」

あまりにも素直な本音なので、私はかえってほほえましく感じた。就職活動をする学生の中にも、「なぜ、その会社か？」と聞かれれば、ブランドイメージがよかったとか、待遇がいいとか、そんな理由しか出てこない人がいる。

大学入試の志望理由では、次のような漠然としたものを挙げる人がいる。「充実した学生生活が送りたい」「部活をやってたので、入学したら思う存分部活をやりたい」「いろんな人と出逢ってたくさん友だちをつくりたい」。

これらの志望理由を、選ぶ側から見るとどうだろうか？　大勢の志望者の中から、わざわざその人を選びたいと思うだろうか？　そこで、私は受験生に、こんな返信をした。

「志望理由が、考えつかなかったら、下記の問いで自問自答してみてください。何より、進路選択に自分で納得できるようになります」

志望理由を固める質問〈大学編〉

1. たくさんある学部・学科から、あなたはなぜそこを選んだのでしょうか？
2. その学部・学科はどんなことを研究するところで

すか？

3. その学部・学科で研究していくには、どんな能力・資質が必要ですか？
4. その学部・学科で扱うテーマに関係して、今、世界や日本で、どんな問題が起きていますか？
5. 上で答えたことの原因は何で、解決にはどうしたらいいと思いますか？
6. その学部・学科で扱うテーマに関係して社会を見たとき、5年後、10年後に実現したい理想の社会は、どんな社会ですか？
7. 学部・学科と絡めて、あなたは将来、どんな仕事をしたいですか？
8. あなたの過去・現在をふりかえって、あなたは学部・学科にふさわしい、どんな長所を持っていますか？　またどんな努力をしていますか？
9. あなたが、その学部・学科で、ぜひ研究したいことを、意欲をもって、具体的に、人にわかるように説明してください。

すでに本書で繰り返してきた通り、「なぜ、その大学か？」は、大きすぎる「問い」だ。だから、一発で答えを出そうとすれば、陳腐な答えになるか、考えるのがいやになってしまうかのどちらかだ。こういうときは、細かい問いを積み上げる。

そして、「問い」という道具で掘るエリアは、過去→現在→未来、自分→日本社会→世界と、時間、空間を移動させていくとよいことも、「意見」のところ（第2章第1節）で説明したとおりだ。上記の問いはそうなっている。
　さて、こうアドバイスしたら、その受験生から、こんな返信が来た。
「なんて言うか、いきなり『県立大』じゃなくて、学科から入ればスムーズな気がしました」

キーを見つける

　相手と自分を連結する「キー」を見つける。これが、志望理由書のいちばんのポイントだ。
　大学の場合は、「学部・学科」がキーになる。大学は、学問するところ、だから大学側は、学問への意欲や問題関心がはっきりした人材を選んで採りたいのだ。学問とはずれたところ、例えば、立地条件、施設、部活や学生生活のようなところで、いくら志望理由を述べても、あくまでプラスアルファであり、核心にはたどりつけない。
　学問に対する意欲や抱負を、いちばんうまく引き出せるキーが「学部・学科」というわけだ。
　会社の場合はどうだろう？　会社側は、仕事への意欲や能力がある人材を選んで採りたいのだ。そのような会社側のねらいの核心に迫るためのキーは、まず、その仕事が扱う「分野」になる。例えば、食品会社であれば「食」、教育産業なら「教育」、アパレルなら「衣」である。
　また、「営業募集」のように、職種を明示して募集されている場合は、営業、経理、編集などの「職種」もキーになる。
「Ａ社、正社員募集」というような採用で、職種が明らかにされない場合は、サービス業、製造業、出版業などの「業種」がキーになるだろう。

その仕事が扱う「分野」×「業種」
その仕事が扱う「分野」×「職種」

をキーにすれば、核心を突く志望理由書が書ける。
例えば、教育系のサービス業に応募する場合は、

「教育」×「サービス」＝「教育サービス」

がキーになる。自分のキーを割り出し、先ほどの推薦入試の志望理由を洗い出す質問の「学部・学科」を、自分のキーに置き換えてみよう。

志望理由を固める質問〈仕事編〉

1. たくさんある仕事から、あなたはなぜ「教育サービス」を選んだのでしょうか？
2. 「教育サービス」は、どんな仕事ですか？
3. 「教育サービス」で仕事をしていくには、どんな能力・資質が必要ですか？
4. 「教育サービス」に直接的、間接的に関係して、今、日本や世界では、どんな問題が起きていますか？
5. 上で答えた問題の原因は何で、解決にはどうしたらいいと思いますか？
6. 「教育サービス」という視点で社会を見たとき、5年後、10年後に実現したい理想の社会はどんな社

会でしょうか？

7.「教育サービス」において、あなたはどんな仕事をしたいですか？

8. あなたの過去・現在をふりかえって、あなたは「教育サービス」に就職するのにふさわしい、どんな長所を持っていますか？　またどんな努力をしていますか？

9. 以上のことを総合し、あなたは、なぜ「教育サービス」の仕事を選んだのか？そこで何を目指すのか？を、意欲をもって、具体的に、人にわかるように説明してください。

「教育サービス」を各自のキー、例えば「自動車製造」「薬品開発」「住宅営業」などに変えて、自問自答してみよう。

まだやっていないことを書く難しさ

志望理由書を書くとき、一番難しいのは、まだやっていないことについて書かなければいけないということだ。

大学入試がそのいい例で、ふつうの授業を受けている高校生にとって、学部だの、学問だの、と言っても、まだ全然体験したことがないから、イメージがわかない。

大学側としては当然「法学部にくるなら、最低限、法律に興味ぐらいは持ってきてほしい、感情論に走らず、論理的にものを考えることぐらいはせめて……」と願う。

志望者と受け手の現実の間にはズレがある。仕事においてもそうだ。これから社会人になろうとしている大学生に、「なぜ、自動車製造に興味を？」と聞いても、現実にうまく答えることは難しい。

転職の場合も、ＳＥやディーラーなどのスペシャリストとして会社を移るならともかく、新しい仕事にチャレンジしたい場合、単なる意欲や興味だけで、採用担当者の気持ちをひきつける志望理由書を書くのは、難しい。

そこで、見たり・聞いたり・調べたり、ということが必要になってくる。先ほどの質問項目とキーを思い出そう。これからはじめようとすることなのだから、質問項目にすぐ答えられなくても、ある意味では当然だ。答えられないところはそのままにせず、調べていけばよいのだ。

キーに関係した新聞記事を集めたり、文献を読んだり、人に聞いて調べたりする。例えば、薬品会社の研究開発員を志望する人なら「薬品開発」がキー。これに関連し、ひろく、国内、海外の出来事を、新聞等から切り抜いて集める。これだけでも、薬品開発をめぐり熾烈な国際競争が展開されていることや、多くの医療現場のトラブル・社会問題が起こっていることに気がつくだろう。さらに、遺伝子研究の進歩によって次々と新しい薬品の可能性も見えてきていると同時に、いまだ薬品開発がされていない難病も多く存在していることにも気づくだろう。そうして、関連図書を読んだり、医療関係者や、薬品関係の人に話を聞きにいってもいい。こうしていくなかで、実社会と自分の志望との関係が、どんどん具体的に見えてくる。やりたいことも次第にクリアになる。志望理由書を書くためのプロセスは、そのまま、進路選択についての自分の気持ちをかためるプロセスでもあるのだ。

就職（特に新卒の場合）や大学の志望理由書では、まだ未知のことについて書く、という点で、多くの人は、フラットな条件であるはずだ。

だから、逆に、その分野についてちょっとでも調べ、具体的に、実感をもって志望理由を語ることができれば、差がつくということだ。その会社なり、大学に「入りたい」という気持ちだけなら、みんなにある。具体的な行動を起こしたか？どれだけ行動したか？が志望理由書の質を分ける。

どうも、入社試験とか会社訪問では、私たちは効率よくそこに入るためだけの即物的な勉強に走りがちだ。それも必要なのだが、会社と自分の狭い範囲だけを照らしているのでは、肝心の志がしぼんでしまう。「学部」であったり「分野」であったり、キーとなることについて、広く社会のこれからを見つめ、業界全体を見つめ、自分を見つめる。一見、遠回りなようで、この作業をしておくことがいちばん大切だ。

なぜ、そこを選んだのか？—グレードアップポイント1

志を、自分に立脚しつつ、広い視野で語れるようになったら、次に、先方が気になるのは、「なぜ、うちに？」ということだ。

ここでやっと、推薦入試の受験生が言っていた「なぜ、県立大なのか？」という問いが出てくる。例えば、法学を学びたいなら、他にも大学はたくさんあるし、薬品関係に勤めたいなら、会社はたくさんある。なぜ、そこを選んだのか？

ここでもやはり、キーが必要だ。施設が充実している、待遇がいい、有名だとかいう、ポイントをはずしたところで理由を語っても、やはり、核心には到達しない。相手の、ものの見方・考え方、つまり、大学であれば教育方針、企業であれば事業方針や理念がキーになる。

- 相手側はどんな「方針・理念」を持っているか？
- 「方針・理念」を具体化するどんな事例なり、人材なりがあるか？
- 自分は「方針・理念」の、どこにどう共感するか？

という方向で考えていこう。これは、企業や大学を訪問したり、ＯＢに聞いたり、会社概要やパンフレットなどから比較的集めやすい情報だろう。いま、さまざまな組織が、ＰＲに力をいれているので、ネット上のホームページも貴重な情報源になる。

固有の長所を言葉にする―グレードアップポイント２

志望理由書で、非常によく見かけるのが、「何かがいやだから、これにしました」という論法だ。例えば、

同じ自動車会社でも、Ｘ社は考え方が古い印象を受けるし、Ｙ社は業績不振、そんな中で貴社は快挙を続けておられる。だから、就職するなら貴社以外に考えられないと……。

いったんは、理学部を志したのですが、どうも、机上の学問に終始しそうで、社会や人との接点が見えてこない、それに、偏差値で進路を考えるのもどうかと思い、教育学部で理科の先生を目指すことにしました。

この論法をあちこちで驚くほど多く見かけるのは、ラクだからだろう。何かの良さは、その対象についてよく知らないと語ることはできない。知るためには、見たり聞いたり、調べたりしないといけない。そのものの良さや個性を自分で見つけ出して言葉にするのは、骨が折れる作業だ。

そこで、私たちはよく、引き合いにだめなものを持ってきて、それを貶(おとし)める形で、志望理由にしようとする。

これで、先方が喜べばいいのだが、はっきり言って、この論法で相手を動かすことはできない。わかりやすくするために、プロポーズを考えてみよう。この論法は、

いったんは、S子を好きにもなったんだけど、あの子は人の気持ちを考えないし、H子は、容姿がイマイチだ。N子なんかと結婚したら、家の中、めちゃくちゃになりそうだ。まったく最近、いい女の子がいないよ。だから、結婚するなら、きみ以外に考えられないよ……。

と言っているのと同じことだ。そんな、なし崩しの論法で相手がうれしく思うはずがない。

やはり、他がどんなに優れていようと、先方が持つ、かけがえのない魅力を、言葉で表現しなくてはいけない。そうすることで相手そのものへの理解の深さをアピールすることができる。

受け入れ側のメリットは？―グレードアップポイント３

ＡＯ入試という、大学の選抜方法がある。受験者が、大学でやりたいことをプレゼンテーションし、面接官との質疑応答の末、選ばれる。学科試験はない。まさに「志」そのものが選抜の対象になるということだ。

私の知っている青年は、この入試に見事合格した。それには、もっともな理由がある。

子どもの頃からバスが大好きだった彼は、「お年寄りや障碍者には、路線バスは乗りにくい。どうしたらもっと利用しやすくできるだろうか？」という問題意識のもと、中学のころから、路線バスの研究・調査をはじめた。彼のレポートは、専門誌にたびたび掲載されるようになっていた。

そして、自分のやりたい交通福祉を実現するには、大学で公共経済学・行政学・福祉学・交通計画学など、幅広い分野を横断的に学ぶことが必要だと考えて、ＡＯ入試を受ける。

彼がこのとき提出したのは「志望理由書」と、自分の投稿が載ったバスの専門誌だった。

彼の志望理由書が光っていたのは、やりたいことがはっきりしており、そのために具体的に考え、行動していたことだというのは、言うまでもない。しかし、もう１つポイントがある。

彼の志が「他者」にとっても意味あることだった、ということだ。彼の志は、交通福祉という形で、人や社会に貢献する。それだけではない、彼が、さまざまな学問を横断し、産・官・学、及び地域の人々と協力して交通福祉の研究を進めていくことで、受け手の大学側も活性化される。彼がそれを志望することの、他者にとってのメリットが歴然としていたからなのだ。

反対に、不合格になった人の、こんな例がある。その受験生は高校まで野球をやっており、野球の能力に優れていた。そこで、大学で野球をやりたいとプレゼンする。ところが面接官から「あなたがそれをやることで、まわりにどんな意味があるのか？」と問われ、うまく説明することができなかった。

日本的な価値観のなかでは、「謙譲」が美徳とされてきた。だから、「自分を採用するとあなたにとってこんなメリットがありますよ」などと書くことに抵抗を感じる人も多いかもしれない。しかし、相手側からすれば、採用は、自分たちの組織を活性化し、より大きな成果を上げるために行うのであって、けっしてあなたの自己実現のために採用するわけではない。自分－大学・会社－社会の関係性を認識して、それをはっきりと打ち出すことは、志望理由書のはずせないポイントだ。

志望理由書の要件

以上、みてきたことから、志望理由書に盛り込む要件を洗い出してみよう。

⑴志望分野をとりまく社会認識

志望分野をめぐる、今の人と社会を自分はどう見ているか？　問題点・原因は何か？　よりよくするには何が必要で、人と社会のどんな理想を実現させたいのか？

⑵志望分野との関係における自己認識

志望分野において、自分は何をやりたいか？　動機は？　その分野にふさわしいどんな経験、能力、資質があるか？　また、自分が採用されることで、相手や社会にどんな貢献ができるか？

⑶先方を選んだ理由

他ならぬ先方を選んだのはなぜか？　相手のどんな理念に共感するのか？

これらの要件を盛り込んだ就職の志望理由書の例をあげてみよう。

志望理由書

私は、ぜひ貴社に入社したく、その理由を以下に述べたいと思います。

日本人の食生活を見ますと、子どもが、かつて成人病と言われた生活習慣病にかかっている事実に、胸が痛みます。スーパーに豊富な食材が並び、栄養学も進化しているのに、なぜ、これほど食生活が偏っているのでしょうか？　子どもの塾通い、女性の社会進出等、あまりに忙しい現代人のライフスタイルが浮かびます。

そこで、栄養面と生活スタイルの両面から、現代人を支える、新しい食のあり方をサポートしたいと思い、貴社を志望しました。

私は大学で、「食」を、栄養と環境の両方から研究してきました。例えば、「簡単に作ることができ、家庭に会話が生まれ、しかも栄養バランスのよい食事とは何か」というように、多角的な軸で食をとらえるのです。私は、4年間の研究活動を通して、食のあり方が、環境や家族のあり方を変えるのを体感しました。この経験を生かして、貴社に貢献したいと考えます。

貴社は、女性の社会進出や、地球環境に合わせた商品など、人と社会の変化をいつもいち早く商品に反映されています。食というものをとらえる視野の広さに大変共感いたします。

最終的には、家族の会話や、人と人との関係を豊かにする食品の企画・開発を希望しますが、最初は、どんな部署のどんな仕事でもやってみたいと思います。その方が、より、多角的に「食」というものを見る目が広がると考えるからです。

以上、すべての理由から、私は、貴社で働くことを強く希望いたします。

文章の構造は、実にシンプルである。

1. 貴社をなぜ志望するか？について述べたい。

⇩

2. 食をとりまく現代社会をどう認識しているか？

⇩

3. 社会背景から、どんな動機を持ったか？

⇩

4. 食の仕事にふさわしい、どんな経験・資質で貴社に貢献できるか？

⇩

5. 他ならぬ貴社を選んだのはなぜか？

⇩

6. 食品企業において、自分は何をやりたいか？

⇩

7. 以上の理由から貴社を希望する。

先にあげた3要件が入っていれば、順番は自由に考えていい。いろいろなパターンを工夫してみよう。

実践 5

お詫びをする

「リーダーの仕事は、決めるとこ決めて、謝るとこ謝る」。企業にいたころ、異動する同僚が残していった言葉だ。

何かを率先してやろうと思ったら、まず必要なのは、決断力と、謝る才能、ということだろうか。

ミスをしない人間などいない。創造的に生きるほど、責任の範囲が増えるほど、お詫びの機会は多くなる。仕事にしろ、プライベートにしろ、お詫びの才能は、社会人必須と言える。ここで、きちんとしたお詫びの文章が書けるようになろう。

まずはこんな、ありがちな例を見てほしい。

〈お詫びの文章例 1〉

このたびは、本当にご迷惑をおかけして申しわけございません。平素、ミスのない仕事にと、万全を尽くしておりますが、今後はこのようなことのないよう、弊社、全員一丸となって、精進してまいりますので、引き続き、ご指導ご鞭撻のほど、お願い申し上げます。

㈱亀勝百貨店

なんとも釈然としない文章だ。本当に悪いと思っているのだろうか？ 「全員一丸となって……」？ そん

な精神論で本当にミスはなくなるのだろうか。

では次の文章はどうだろう？　読み比べてほしい。

〈お詫びの文章例2〉

石野真一様

このたびは、欠陥商品をお手元に届けてしまい、本当に申しわけございません。

お子さまへの誕生日の贈り物だったとうかがいました。石野様も、お子様も、残念な想いをされたことと、心が痛みます。

これは、売り場責任者である私のミスです。

店員には、包装前に検品するよう指導していたのですが、私の指示が甘かったのが原因です。

昨日、検品の際、問題の留め金部分は、お客さまの目の前で確認するよう、店員全員に徹底いたしました。

同封のものは、キャラクターＺの中でもたいへん珍しいプレミアグッズです。お子さまは、Ｚが大好きだとうかがいましたので、店員で協力して、集めてまいりました。少しでもお子さまのお気持ちに報いることができれば幸いです。

重ねて心からお詫び申し上げ、筆を置かせていただきます。

㈱亀勝百貨店売り場責任者　加藤陽子

文章例1と比べると、格段に印象が違う。これを、誠意がこもっているとかいないといった精神論や、人間性の問題で、片付けてはいけない。そのようなスタ

ンスで漫然と表現を練り直していても、文章例１のようなお詫び文は決して、よくはならないだろう。

では、文章例１と２は、いったいどこが違うのか？ここではその機能と構造を具体的に分析して、お詫び文の要件を明らかにしていこう。

機能構造をどう組み立てるか？

文章例１のアウトラインをたどってみると次のようになる。

〈文章例１のアウトライン〉

1. 謝罪

⇩

2. ちゃんとやっていたつもり

⇩

3. これからはちゃんとやるつもり

⇩

4. これからもよろしく

みもふたもないまとめ方をしてしまったが、結局はそういうことだ。書き手が何ものを考えていない文章の典型だ。最後に、「引き続き、指導、鞭撻してくれ」というのも、虫がいい。

一方、文章例２の方はどうだろう。各段落の役割を、追っていくと、実に機能的な構造をしていることがわかる。

〈文章例２の機能構造〉

1. 謝罪

⇩

2. 相手側から見る

⇩

3. 罪を積極的に認める

⇩

4. 原因を究明する

⇩

5. 対策を立てる

⇩

6. 償（つぐな）いをする

⇩

7. 再度、謝罪

７段落から成っているが、１つの段落は、ちゃんと１つの機能を果たしている。ラストを除いて、同じ機能はない。かつ、段落と段落は、機能が生きるように配列されている。だから、無駄がなく、しっかり働く文章になっている。

このようなしっかりした機能と構造を持つ文章はどうしたら書けるようになるのだろうか。そのための第１ステップは、自分が書いた文章について、段落ごとにその機能を考えてみることだ。それを箇条書きにしてみると、重複しているものや、足りないものが明らかになってくる。

「俺は、ごめんなさいを連呼しているだけだな」とか、「私は、自分の気持を述べるという段落がやたら多い。自分のことばかり言ってる」とか、「また原因究明が出てきた。私には、論が行ったり戻ったりするクセがある」などというように自分の論理構造が見えてくるだろう。

第2ステップとして、文章を書きはじめる前に、段落ごとの機能構造を、自分でゼロから組み立ててみる。それにはまず最終的な結果をイメージすることが必要だ。慣れないと、最初は難しいし、面倒に感じるかもしれない。しかし、「この結果を出すためには、何と何が必要か？」「じゃあそれをどういう順番で並べたらいいのか？」ということをその都度、その都度、自分で考えるトレーニングをしていると、文章の要素と全体の構造を自然にイメージできるようになってくる。「えっと、友だちに映画の感想を書こう。まず、俺が感じたことを書くだろ。それから友だちがこの前メールでよこした感想に意見を返すだろ。そのあと……どうするか？」というように、機能構造を組み立てられるようになるのだ。

問いを立て、視点を動かしながら、思考を前にすすめるという作業は、お詫び文だけでなく、どんな文章を書く上でも欠かせない。ここでも大事なのは自分で考えることだ。

お詫びが目指す結果・要素とは？

では次に、お詫び文にはどのような要素が必要なのか、細かく検討していくことにしよう。そのためにまず考えなければいけないのは、謝ってどうするのか、つまり結果である。

- 謝れば済む？

- 自分が納得のいくお詫びを入れること？
- 謝って相手に許してもらうこと？
- 自分のミスによって相手が受けたダメージを癒したい？

正解があるものではないから、場合、場合によって自分なりのゴールを考えていかなければならない。ただし、上のもののうちどれか１つというだけでは、不十分な気がする。

さすがに謝れば済む、と思っている人は少ないだろうが、許してもらったらゴールと考える人は多い。でもそこだけをゴールにすると、罪の深さに関係なく、優しい相手にあたれば結果は出やすいということになる。また、相手が許してくれないと、逆に相手をうらむようなことにもなるだろう。

自分の納得感だけを基準にするのもどうだろうか？

早く謝ってラクになりたい、とか、高価な金品を相手に与えて心の免罪符にしようとか、相手の気持ちをよそにおいた、自己満足になりがちだ。

◇反省

◇謝罪

◇償い

私が考えるお詫びの要件はこの３つだ。

- 反省、つまり悪かったと心から罪を認めること。
- 次に、相手に謝ること。
- そして、相手が受けたダメージを償うこと。

この３つの要件を満たしていなければ、おとなとして対外的にちゃんと詫びることにはならない。謝れば済むと言う人は、「反省」と「償い」がないわけだし、すぐ金で解決という方向に走る人は、「反省」と「謝罪」をとばしている。

お詫びの文章例１が釈然としなかったのは、謝罪はしていても反省の色がなく、どう償うかについてはまったく触れていないからだ。

お詫び文というのはとかく雰囲気や感情で流してしまいがちだが、これら３つの要件が、きちんと機能しているかどうかを考えて書く必要がある。

例えば、友人との待ち合わせ場所に行けなくなってしまったとき、あなたはどうお詫びするだろうか。

反省　「寒い中待たせたあげく、行けなくて悪かった」

謝罪　「ごめんね」

償い　「その分、これから楽しい計画立てて誘うよ」

これが、お詫びの最もシンプルな構造だ。

お詫びの文章テンプレート

私も、いったい何回お詫びの文章を書いたか知れない。

恥かしい話だが、最初は、後輩やスタッフがやった間違いを自分のこととして詫びるのに抵抗があった。また、明らかに相手の方が酷いと思えるケースもある。長い仕事生活の中ではいろいろな人に出会うから、こちらの常識の範囲ではどうしても悪いと思えないのに謝罪文を書かなければならないケースもあった。そういう場合は、徹底的に相手の側からものを見て、相手の論理で詫び状を書いた。あるときは、「でも相手もここは悪い」と思い、丁寧なお詫びの中に、ほんの少し遠まわしにそのことを書いたら、もとの3倍くらい怒られた。理屈で勝っても、だめな場合がある。

いろいろなお詫びのケースがあり、そのたびにたくさんたくさん詫び状を書いた。詫び状を書くたびに、気づかされるのは、どんな状況でも必ず何か自分に非がある、原因のない失敗はないということだ。

その「核心」に自分で気づくまで、不思議に文章は完成しない。書いていて、何か腑に落ちない。何かしっくりいかない感じが残るのだ。

そこで書いては消し、言葉を組み替え、言葉を探す。そのとき私の内部では、罪を自分ですりかえては自分で引き戻し、責任からじたばたと逃げては自分で引き戻しという、思考回路の矯正作業が行われている。

やっと、ストンと腑に落ちる文章が書けたとき、「ああ、そうか！　私のここが悪かったのだ」と、ことの核心がわかる。それは力の湧く瞬間だ。

何度も書くうちに私の詫び状は、自然にある流れを持つようになった。

その流れを、お詫びの文章テンプレート、たたき台として紹介しておこう。冒頭の文章例2も、実はこの論理構造に従って書いたものだ。

〈お詫び状テンプレート：たたき案〉

謝る

仕事では「申しわけございません」を使うことが多かった。深々と頭を下げるようなつもりで、まず、しっかり謝る。

⇩

相手側から見るステージ

このステージでは、徹底的に相手の立場に立つ。相手の目で、相手の都合で、相手の順番でこの一件を見るとどうなるか？　相手はどんな迷惑を受け、どんな気持ちになったか想像力を働かせ、できるだけ具体的に書く。

⇩

罪を積極的に認めるステージ

相手にそういうダメージを与えたのは、まぎれもなく自分であることを積極的に認める。

⇩

原因を究明するステージ

なぜこのようなことが起こったのか、原因を多角的に冷静に分析して割り出す。ただし、最終的に文書にする際、「自分自身のどんな怠慢・力不足から生じたか？」という観点で語れるものだけを残し、あとを捨てるといい。

ここでは、言い訳や自分の都合をだらだらと書かないよう、また原因を美しい論理にすりかえないようセルフチェックが必要だ。

⇩

将来に向けた修正を示す

二度とこういうことを起こさないために、何をどう変えるか？　精神論ではなく、いつ・だれが・何をどう変えるか、具体的に書く。本当に再発防止に効果があるか、実行に責任が持てるか、セルフチェックする。

⇩

どう償うかを示す

相手がこうむった不利益を、どういうふうにリカバーするかを書く。短期間にすぐ代償できるものに留まらず、広く長い目で見て、仕事を、相手との関係を、もっとよくしていこうという観点から発想し、自分に本当にできることを書く。ここでは創意工夫を心がけたい。

ついでの用事があるときも、お詫び文には他の要件をいっさい書いてはいけない。時候の挨拶もなし。

お詫び文だから、へらへらしていてはいけないけれど、必要以上に、相手が不快になるほど、暗くならないように気をつけたい。相手に、前に向かったさわやかな読後感を残せるといい。

お詫びの１人称―グレードアップポイント

お詫び文の「１人称」は、私たち、私ども、弊社などを一切使わず、一貫して、「私」を使用するといい。「私がやったこと」なのだから。

あなたはどんな詫び状を書いているだろうか？　詫

び状に限らず、自分で納得がいく、人に伝わる文章が書けたとき、その背景に独自のきれいな思考の道筋があったと思う。その思考回路をテンプレートにして残しておいてはどうだろうか？

成功体験を生んだ論理構造を形にし残しておけば、混乱したときや、迅速なコミュニケーションが求められるとき、道しるべとなり、自分を助ける財産となるはずだ。

実践６
メールを書く

メールの登場によって、私たちは史上最も気軽に文章をやりとりできるようになった。手書きで１通の手紙を仕上げるより、メールを１通書くのは、はるかに楽だ。なぜか？　まず、文章の完成度にこだわらなくてもいい。未完成な考えを相手に問うて知恵を求めたり、話の断片・断片をキャッチボールしながら、一緒に１つの決め事をしたりできる。表現も、従来の書き言葉に比べ、ずっと話し言葉に近い気さくな表現になってきている。

だが、ここに落とし穴がある。カジュアルでいいと、わかりにくくてもいいとは、違うということだ。

文章を書くことへの緊張がゆるむと、文章は読み手にとってわかりづらいものになりやすい。そういう文章が頻繁に大量にやりとりされていることが、メール文書の最大の問題点だ。

メールの原則は「わかる」ことだ。ほんの数行でも、何ページに及ぶメールでも、公式でもプライベートでも、この原則は変わらない。

ここでは、「わかる」メールを書くコツを覚えよう。

メールは「シーソー」だ

別に難しいことが書いてあるわけではないのに、わかりにくいメールをもらった経験はないだろうか。このわかりにくさの原因は何だろう。

最後に書かれている「予算のこと、検討されねばならない課題ですね」は、状況認識であり意見ではない。「私は予算が安いと考える」。これでもまだ足りない。だからどうなのか、を繰り返し自分に問いかけて、最低限、だれがどう行動するかまでは打ち出そう。この場合は、次のどれかに決めることだ。

1. 私は、予算が安いと思うが現状のままでいきたい。
2. 私は、予算が安いと思うので上げたい。
3. 予算について、どうしても決められない。先輩に相談にのってほしい。
4. 予算について、どうしても決められない。先輩に決めてほしい。

3、4の場合、一見決めていないように思えるが、自分では「決められない」ということを決め、だれにどうしてほしいかまで打ち出せている。だから意見になっている。

要件のメールでは、意見を文章の頭にはっきり書こう。長く書いてしまったメール、忙しい相手でも、いちばん大事なことを頭に書いておけば、読み飛ばされることはない。

結論から申し上げます。デザイン料を上げていただきたいのです。

で始めて問題はない。

論拠を決める──ステップ2

意見と論拠の原則はメールでも変わらない。意見を文頭にはっきり書いたら、あとは理由を筋道立てて説明すればいい。

論拠がいくつかある場合、優先順位を決めよう。メールは短く書いたほうが相手に親切なので、決め手になる論拠があれば、極力1つに絞って書くといい。

論拠1つでは弱く、いくつか挙げなければいけないときでも、極力数を絞って優先順位の高いものから書く。論文などなら、優先順位の低いものから高いものへと論拠を配列し、終わりの方にインパクトを持たせてもいいが、メールにはよく読んで欲しい大事なことを頭に書く方が堅実だ。他の文書に比べ、読む側も気軽なので、最後まで文章を読む緊張感がもたないからだ。

田中さんの場合は、先にあげた1～4の意見のどれにするかで論拠も変わってくるが、

- 先方が予算が低いとクレームを出していること
- 相場から見て社内基準が低いこと
- 予算がクリエイティブに影響すること

の3つをどう判断するか、検討していく過程で論拠が用意できる。

さて、ここまでできれば、つまり意見と論拠を決めれば、一応「わかる」メールになる。

相手にとっての意味を決める―グレードアップポイント1

電話の伝言メモやファクシミリの送信状に、あらかじめ「折り返しお電話ください」「要返信」などのチェック欄が印刷されているものがある。これらは、印を

つけるだけで着信者が受け取った情報をどう処理すればいいかわかるから便利だ。
　メールは送りやすいため、1人あたりの着信量が多い。
　だから、電話やファクシミリ以上に、相手がそのメールをどう処理したらいいのかを伝えることが、マナーとしても特に重要になってくる。
　文章例1のままでは、先輩は次のように悩むだろう。
「自分にどうしてくれと言ってるんだろう？　報告として聞いておくだけでいいのか？　返信はいるのか？」
　このように相手を悩ませないために、相手にとっての意味を決めることだ。報告なのか、相談なのか、お願いなのか。さらに相手はこのメールを受け取ってどうすればよいのか、読むだけでいいのか、助言をするのか、決定をするのか。返信はいつまでに、どういう方法ですればいいのか。文章例1ではこうなる。

〈相手にとっての意味 例〉

◇越智先輩、今日の依頼の状況、報告までです。お読みいただくだけで、特に返信はいりません。
◇予算について相談です。7時に電話しますので、下記、相談にのっていただけますか？
◇予算についてお願いのメールを差し上げました。恐れ入りますが、本日中に可否をご返信ください。（重要度高で送る）
◇出張の単なる所感です。お忙しかったら読み飛ば

していただいてかまいません。（重要度低で送る）

こうしておけば、少なくとも相手は自分のすることだけは心配しなくて済む。

「相手にとっての意味」はメールのいちばん頭、意見の前に書くか、もしくは意見と合体させて「予算を上げていただきたく、お願いのメールを差し上げました……」と１文にしてもいい。

あと２つ、ちょっとした「決め」でさらにメールはわかりやすくなる。

相手にひと目でわかるタイトル―グレードアップポイント２

メールのタイトルをあまり考えず、とりあえず「連絡」などとしておく人が多い。だが、仕事のシーンでは、１回あたりのメールチェックで、数十件以上着信する人も少なくない。受信トレイに数十件、同じ「連絡」というタイトルが並んでいるところを想像してみよう。相手が会議の合間などに、急ぎのものだけ開封したいとき、これでは優先順位がつけられない。結局１つひとつ開いてみるまで中身を知ることはできないのだ。

メールのタイトルを見ただけで何が書いてあるかわかり、急ぎの度合いや返信の有無など処理の仕方までわかるとしたら、相手にとって親切であると同時に、自分の伝えたいことを伝えたいタイミングで確実に読んでもらうことができる。このタイトルスペースを活用しない手はない。

その点で、文章例１のタイトル「表紙のクマ」はまったく機能していない。自分の内的関心事を感覚だけで、独り言をつぶやくようにタイトルにしている。しかも本題とは関係なく、相手にとっては無意味にわかりにくいだけだ。

メールを読む相手は、自分の関心事とは関係なく様々な仕事をかかえている。だからタイトルは、より客観的な表現にする必要がある。カメラを思い切って引き、自分自身を遠景で撮影するような感覚で、自分のメールは相手にとって何物かを見ることだ。

タイトルを「予算」とか「お願い」としても、相手は何の予算か、何のお願いかすぐわからない。「秋の特別号の……」など、より大きな枠組み、仕事名、商品名、プロジェクト名などから具体的に書くことだ。

第2章の「論点」で述べたとおり、通常タイトルには「論点」を書く。

この場合は、「秋の特別号予算を上げるべきか」などだ。ただし、メールの場合「相手にとっての意味」を加えた方がわかりやすい。

「至急！　秋の特別号予算アップのお願い（要返信）」
「秋の特別号依頼の報告まで（長め、お暇な時に）」

このようにタイトルは、「論点」＋「相手にとっての意味」からアレンジし、なるべく客観的な表現（引き）で決めるとよい。相手に、中身とやるべきことが一読してわかることを目指そう。

以上のポイントで、文章例1を書き直してみた。

件名「至急！ 秋の特別号予算アップのお願い（要回答）」

越智先輩

秋の特別号、デザイン予算アップのお願いです。
急で恐縮ですが、午後７時にこちらから電話を入れます。その際、ご回答いただければ幸いです。

結論から言います。
デザイン費を15万アップさせていただきたいのです。

いちばんの理由は、
私が設定した予算が業界平均から見てかなり低いことです。
業界の相場を調べ添付ファイルでつけているので
ごらんください。
先方から予算についてクレームもきており、
私は、このままの予算では先方のやる気を下げ、
クリエイティブも下がると考えます。

予算アップ分は、通常号予算を削る方向で、
いま算出していますので、
後ほど電話で相談させてください。

田中　迷留

引き受けるという感覚

改作前と改作後を比べてみよう。様々なポイントを指摘したが、最も大きいのは、根本思想が変わったことだ。

もとの文章の根底にあるのは、不満。一方、改作した文章の根本には「自立心」がある。

メールをわかりやすくする最大の秘訣は、この根本思想にある。つまり、自分で考えられるところまで考え、決められるところまで決め、結果について引き受けようとする姿勢だ。例えば、

> 例の締め切り、いったいいつまでなんでしょうか？　はやく教えてください。すごく忙しい上に、大変な量の仕事です。ほんとうに、もう悲鳴をあげたくなるくらいです。決まらないと動きがとれません。

メールには、愚痴は書いてはいけない。仕事を受けるなら受ける。量が多くてやめるならやめる。「いつ」「だれが」「どうする」を基本に、考える作業を引き受け、自分なりの結論を出し、「提案型」で書くといい。

> 例の締め切りですが、私は、９月25日納品とさせていただけたらと思います。早く取り掛かったほうがいいので、この線で進めておりますが、もし、この締め切りでだめな場合、明日中にお電話いただけると助かります。ご検討いただけますか？

さらに、次のちょっとした表現の工夫で、メールはさらに自立したわかりやすいものになる。

受動態はつかわず、人間を主語にする

主語をはっきりさせて書く、そして主語はできるだけ人間にし、あいまいな受け身文を書かないようにするだけで、文章は見違える。文章例１では、

明日の時点で大体のことが決定されます。

明日私たちは大体のことを決めてしまいます。

デザイン会社側から、予算について、ふつう倍ではないかという指摘がされました。

私は、デザイナーの高橋さんから、予算はふつう倍だというご指摘を受けました。

主語があいまいということは、責任があいまいということだ。リスクがとれない人の文章は受動態が多い。

頭の中整理されてなくて、ちょっとわかりにくいメールになるかもしれないんですけど。

私が頭を整理してないので、私は、これからわかりにくいメールを書きます。

(だったら、私が頭を整理してから書けばよいのだとわかる)

うちの予算ってかなり低めに設定されてますよね。でも、予算のこと、検討されねばならない課題ですね。

⇩

私は、当社基準にのっとって、相場からみればかなり低めの予算を設定してしまいました。でも、予算のことについて、今△△が、検討しなくてはいけませんね。
(△△の主語はだれかを考えることで、責任の所在、行動の主体がはっきりする。この場合は「私」)

主語を人間にして書く習慣を身につけることで、わかりやすい文章を書くことができ、自分が行動主体になる、責任を負うという感覚も育つというわけだ。

第4章

より効果を出す！テクニック——上級編

さて、前章までで、日常の中で機能する文章のコツは、一通りつかんでもらえただろうか。第4章では、もっと効果的に、もっと確実に結果を出すための、上級テクニックをつかんでいこう。

文章を書くことには直接つながらないものもあるが、コミュニケーションの機能を高め、よい結果を出すために、ぜひ知っておいてほしいテクニックだ。

Lesson 1 引きの伝達術

こんな光景をみた。

東京郊外のコーヒーショップ、昼下がりのすいた店。明らかに地方から来たようすの老夫婦が、じっと客席で待っている。

いつまで待ってもウェイトレスが注文をとりにくるはずはない。そこはセルフサービスの店だから。

東京ではあたりまえになっているスターバックスやドトールのようなセルフサービスの店だが、私の実家のある田舎には1軒もない。喫茶店では、注文は席にとりにきてくれるものだし、お金は後で払うもの、地元の人はそんな常識の中で暮らしている。

初めての人のためには、店の前に、「はじめに注文し、飲み物を受け取ってから、お席へどうぞ」と案内板があればいいのだろう。

でも、よくわかっていて、それがあたりまえになっている人の間では、「わからない人がいる」ということが、なかなか想像できないものである。

前提のちょっとした勝手がわからないために、おいてきぼりにされるという事は、日々のサービスや、コミュニケーションの中でたくさん起こっている。

あなたの書く文書の読み手をこのような「おいてきぼり」にしないために、「２歩前提に引いて見ること」を提案したい。自分の書いたものを、人が見たらどうか、おかしくないだろうか、と１歩引いた視点でチェックするのは、だれもがやっている普通の推敲だ。ここではそこに留まらず、さらにもう１歩引いて、自分があたりまえと思っていることをわからない人もいるのでは？と想像してみることが肝心だ。

初歩的なところで話に入ってこられない人がいることを事前に想定して、その人たちが、すんなり入ってこられるように、案内板や、はしごのようなものを、文中に用意してあげる。これができるようになれば、あなたの文章は、数段、人に読まれやすくなる。

まずは、こんなビジネス文書から見てみたい。

営業課からのご報告

シニア事業部のみなさんに一斉メールさせていただきました。営業課の紺戸です。今日は、嬉しいニュースです!!

商品Ａの、今期の売上げは、なんと8740万！　いよいよ１億という数字も夢ではなくなってきました。ついにやりました！

勝因は、具体的に総括してみないと正確なことは言えないのですが、スーパーマーケットでの実演販売が功を奏したのでは、というのが、営業課のもっぱらの見方です。

今、営業課では、ちょうど来期の戦略を立てているところです。来期の改良ポイントは、スーパーマーケットでの実演販売を、全国500店舗で展開することです。

このアイディアについて、事業部のみなさんのご意見・ご要望など、私あてに、メールでどんどん下さるとうれしいです。

営業課の紺戸さんが、専門用語をつかわず、わかりやすい言葉で表現しているのは評価できる。でも、注意してほしいことがある。

「来期の改良ポイントは……」とは、「これから」のことだ。では「これまで」はどうだったのだろう？

1つ前のプロセスを共有する

「今年」の話をするなら「去年」のことを、「来期の戦略」に入るのなら「今期の戦略」を、「意見」がほしいのなら「問題点」を。このような、1つ前のプロセスを読み手と共有しておくことが必要だ。いきなり、

今期の売上げは、なんと8740万！

と「！」をつけられても、これがどういうすごい数字なのか、読み手の方は、「？」だ。今期を照らすには、前期を添える。つまりはこうすることだ。

今期の売上げは、8740万
（前期4960万、76.2%アップ）

　スーパーマーケットでの実演販売が功を奏したのでは、というのが、営業課のもっぱらの見方です。ちなみに前期は広告営業のみ。今期、初めて、従来の営業に加え、100店舗で実演販売に踏み切りました。

　おそらく紺戸さんの念頭には、同じシニア事業部に属しているのだから、主力商品であるAの売上高ぐらいみんな知っているだろうということが、あったのだろう。しかしたとえそうであったとしても、先期の数字が書き添えられていれば、「前はどのぐらい売れていたんだっけ」と思い出したり調べたりする手間を省くことができ、読み手にとってはぐっとわかりやすい文章になる。

　また、メールで社内の人の意見をもらおうとしているのだが、たぶんもとの文書のままでは、「いいと思う」くらいの意見しか返ってこないだろう。

　読み手から何か意見やアイディアを引き出したいのなら、「意見」をもらう以前の、「そもそも、何が問題なのか？」を共有しておく必要がある。例えば、

　来期は、実演販売を、現状の100から500店舗に拡大するつもりです。ただし、実演販売はコストがかかるのが難点です（添付の表をごらん下さい）。営業課でも、これだけのコストを別商品にまわしたほうがいいという考えと、この機会に主力商品Aの売上げを一気に拡大したいという考えに分かれています。どちらの考えを、どういう理由で支持するか、ご意見を私あてに、メールでお聞かせいただけるとうれ

しいです。

「問題点」を共有するところで手を抜かなければ、おのずといい「意見」が返ってくるだろう。

教えられる側は不安でいっぱい

さて、次は「教える」というシーンを想定してみよう。新人教育、ちょっとした仕事の説明、趣味の指導など、どんな些細なことでも、人にものを教えるというのはそれなりに手間のかかる作業だ。しかも文書でとなると、なおさら大変だ。時間が限られている中に、あれも、これも、教えなければいけないことがたくさんある。

以前、高校に情報の授業のサポートに行ったとき、生徒からこんな質問を受けた。「前回もアンケートをやりました。それで今回も。2回書く意味を教えてください」。

そこの生徒たちは、意味が不明の作業をさせられることをとても嫌がった。だが、ひとたび意味がわかり、納得すれば、自主的にどんどん学習を進めていく。

私は、課される作業の意味に問題意識を持つことや、感じた問題意識を臆せずにたずねる生徒の姿勢に、すっかり感心してしまった。

また、応用力のある子たちだったので、自分なりのやり方で学習を進めたがり、プロセスを管理されたり、やり方を押し付けられるのをとても嫌った。

教える側が当然のように様々な作業を課し、教わる側はだまってやる、という風景は、日常でよく見られるが、それでは教わる側は、不安でいっぱいだ。しかし、教える方も、限られた時間の中であれもこれも教えなければならないという状況で、重要なことはともかく、すべてのことについて意味を説明することは不可能だろう。では、教えるとき、何に注意したらいいのだろう。

教える側のねらいまで伝える

教える側は、目標が見えているけれど、教わる側は、そもそも何を目指すのかがわからない。「こんなことをして何の意味があるのだろうか？」「ほんとに力がつくのだろうか？」「そもそも、この人についていって大丈夫なのだろうか？」などの不安が教わる側のやる気を大きく左右する。

そこで、教える側と教わる側が、最初にゴールを共有するといい。例えば、この2時間の研修で……、あるいは1カ月後、3カ月後、1年後……どうなっていることを目指すのか。

例えば、新人研修の案内を送るときも、「明日は、企画書に関する研修を行います。同封の資料を読み込んできてください」としないで、「明日の2時間の研修で、企画書の書き方をマスターするのは無理ですが、少なくとも、企画書とは何かがわかること、企画に必要な資料は自分で用意できるようになることまでを目指します」というような、ゴール設定を入れると、教わる側もイメージしやすく、やる気になるはずだ。

教える内容をあらかじめ伝えておくだけでなく、そこからさらに1歩引いて教える側のねらいまでを伝えておくこと、これが「引き」の伝達術の2番目のテクニックだ。

あえて素人の目線をつくる

さて、「引き」の伝達術、3番目のテクニックは、私のこんな経験から、お話しようと思う。

以前、私は、高校生向けの小論文の問題にミヒャエル・エンデの『モモ』(時間がテーマのファンタジー) を採り上げたことがある。4人くらいのチームで編集にあたったと思う。

編集部にはまじめな人が多いので、みんな『モモ』の本の熟読はもちろん、ミヒャエル・エンデの他の作品も全部読んで、ことにあたろうとした。

そのとき、私はとっさに、「私だけは、最後まで『モモ』を読まないでおきます」と言った。問題文に採り上げられるのは、長い1冊のうちの、せいぜい2ページ分くらい。この本を読んでいない生徒、前後の脈略がわからない人たちにも、抜き取った2ページ分だけで、問題がとけるようにしてもらわなければならない。さらに、小論文に指導を加える際、『モモ』を読んでない人にもわかりやすい解説を心がけなければならない。

もしも、編集チーム全員が『モモ』を熟知してしまったら、読んでない人の目線がなくなってしまう。私はそれを恐れたのだ。

専門家になってしまうと、わからない人の、わからないという気持ちがわからない。なぜ？　どこが？　どうして？　わからないのかということへの想像力が働かなくなる。

だから、自分の中に、あえて死角をつくったり、だれかに引いた目線で観てもらったり、素人の人に取材するなど、わからない状態を知る努力が必要になってくる。

それでも、自分ではなかなか「わからない人の目線」がつかみにくいとき、わからない人と、よくわかっている自分の、間をとりもつ人間（インター・メディア）を立てることもできる。例えば、新人に仕事を教えるとき、ベテランが3回言ってもわからなかったことを、2年目社員があっさり教えてしまったということがあるだろう。2年目社員は、去年、自分がわからなかった記憶を生々しくとどめているからだ。そういう人に、自分が書いたものを読んでもらい、わかりにくい点を指摘してもらうといい。

専門すぎるというか、そこに入り込みすぎた人間の説明は、わかりづらいものだ。

例えば、雑誌の「環境問題」の特集にタイトルをつけるような場合、入り込みすぎた人は、「大量生産・大量消費・大量廃棄の罪」などとつけてしまう。これでは、読み手はすんなり入っていけない。

1歩引いて、「環境問題、いま何が原因なのか？」というタイトルにすると、読み手は、環境問題の原因をさぐる内容なのだな、とわかる。

さらに、もう1歩引いて、特集の役割を見ることができる人は、「ナナメ読み10分で身につく、環境問題の常識」というようなタイトルを工夫する。これは、この文章に読み手がどう関わればいいのか、行動指示までが入っている。

編集をする人でなくても、「自分がしていることへ標題をつける感覚」を持つことは、ものごとを伝えるときに役に立つ。

例えば、プレゼンテーションなどで、「次に商品の特徴に移りたいと思います」というように、話の節目に、文章でいう「見出し」や「小見出し」にあたる説明を挟むことがあるだろう。

入り込みすぎていると、「次に世界最速回転盤に移りたいと思います」と、特徴そのものを言ってしまい、聞く人は、話の展開についていけない。

1歩引いて、「次に他社には真似のできない当社商品だけの特長を説明します」と言えば、聞く人もよくわかる。

もう1歩引いて、「ここからが、本日のプレゼンテーションでいちばん重要な点ですから、よくお聞きいただいた上で、ご不明な点は後で何でもおたずねください。他社にない当社商品の特長は……」と話しだせば、聞く人も、話の優先順位、自分の絡み方を心配しなくてもよく、便利だ。

報告書や企画書に見出しをつける場合も同様だ。自分の話すこと・書くこと・していることに標題をつける、しかも「引き」でつける感覚を養うことは、確実に伝え、結果を出すために有効だ。

Lesson 2 動機をつくる

21世紀、情報の海の中で暮らす人々は忙しく、刺激になれ過ぎている。頭を読んでつまらないメールは、ゴミ箱に捨てられることさえある。いまや、長い文章は最後まで読んでもらうことさえ難しい。ここでは、自分の書いたものを人に読んでもらう方法を考えよう。

内容がいいだけでは読んでもらえない

私は編集の仕事で、なかなか活字を読まない若い読者に、どうやって文章を読んでもらうか苦労した。内容をよくすれば読まれるだろうとは、だれしも考えることだ。私も新米のころは単純にそう思っていた。だから、わき目もふらず、いい原稿を入れることに専念した。努力の甲斐あって、ものすごくいい原稿が入ったようなときは、編集部内でも盛り上がるし、「きっとたくさんの人に読まれるだろう」と期待に胸が膨らんだ。ところが、調査データが上がってきた段階で、わくわくしながら数字を見ると、そのページを読んだ人の数は増えていないのだ。いつも読む人は読む、読まない人はいい原稿が入ってもやはり読まない。ただ、読んだ人がいつも以上に深く感動したという結果だった。

そういうことを何度か体験するうち、わかったことは、内容がいいのは大前提、しかし、それだけでは読んでもらえないということだ。

人はどんな時にアクションを起こすか？

そこで、雑誌を買ってもあまり読まない読者に理由を聞いてみた。大抵すまなそうに、「読めばいい内容が書いてあることはわかってるんです。でも忙しくて……」とこたえる。読者の高校生にとって切実な明日のテストのことが書いてあれば、すぐさま読むだろう。しかし、私が担当していた文化や環境問題などについては、「後で読もう」になってしまう。

読み手の側から考えると、日々の生活の中に向かう動機がないものは、読みたくてもなかなか読めないのだ。

人の行動には大抵「動機」がある。映画に行くにも、商品を買うにも。逆に言えば、どんなにいいものでも、向かう動機がなければ、人はアクションを起こさない。

「ということは……、そうか！　相手の動機をつくるところからコミュニケーションを始めればいいんだ」

と私は気がついた。

読み手は文章を全部読んで、いいか悪いかを決めるのではなく、ぱっと見て読むか読まないかを決める。だからコミュニケーションの最初のところで、相手の「読みたい」という気持ちをしっかり引き出しておけば、長い文章でも読んでもらえる。

そこで、１冊の雑誌においても、１つひとつのコーナーにおいても、読み手の動機をどう引き出すかを考えて編集するようにしたところ、１冊を100％読みきる読者の割合が３倍近く増えた。

読む気を引き出す文章の書き方

相手のモチベーションを引き出せるか、引き出せないかは、文章の書き出しにかかっていることが多い。

文章を書くとき、「読み手から見たら、これを読む動機は何だろう？」と考えてみよう。はっきりした動機があれば、文章の冒頭に書く。

例えば、長い文章の末尾に「以上の話は、あなたが今悩んでいる介護の問題に関係があるでしょう」と書いていても、そこまで読んでもらえない可能性がある。書き出しに、「以下は、あなたが今悩んでいる介護の問題の突破口になるかもしれません。少し長いけれど読んでみてください」と置くことだ。

読む気を引き出すタイトルをつけても、リード文を書いてもいい。いずれにせよ、本文に入る以前のところでアナウンスしないと意味がない。

では、考えても読み手の動機が浮かばない場合はどうすればいいのだろう。どうやって相手に「読みたい」という気を起こさせるかを考える、つまり「動機をつくる」ことだ。

私が扱っていたテーマは、文化論とか日本人論とか、大人が読ませたいことであり、高校生にとっては読みたくもないことだったから、モチベーションをつくるのにとても苦労した。以下はそのとき用いた方法だ。いずれも、できるだけ文章の冒頭に置くことだ。

⑴効能を示す

読み手にとって、その文章を読むことでどんないいことがあるのかを考え、端的に示す。読むとこういうシーンでこのように役に立つ、あるいは、こんな知識や技が身につく、わからなかったことがわかるようになる、などだ。できるだけ遠い未来の抽象

生真面目なリーダーほど、「なぜ、あなたに、この仕事をお願いするか？」を説明しようとするが、この問いはレベルが高いので、一気に結論を出そうとすると、「人が足りない、他にいなかった」となしくずしになったり、「きみは仕事ができるから」と意味不明のおだてになったり、または、会社の論理で押し切ったあげく、「会社はきみ中心に回っていない」とねじ伏せる、ということになりかねない。

こういうときは、本書で何度も言ってきた遠回りの法則で、自分と部下のにらみ合いから、次のように視野を広げてみてはどうだろう。

▶過去→現在→未来へ流れる時間軸と、個人→集団→社会へ広がる空間軸。時間と空間の広がりの中に、いま出そうとしている仕事を位置付ける。

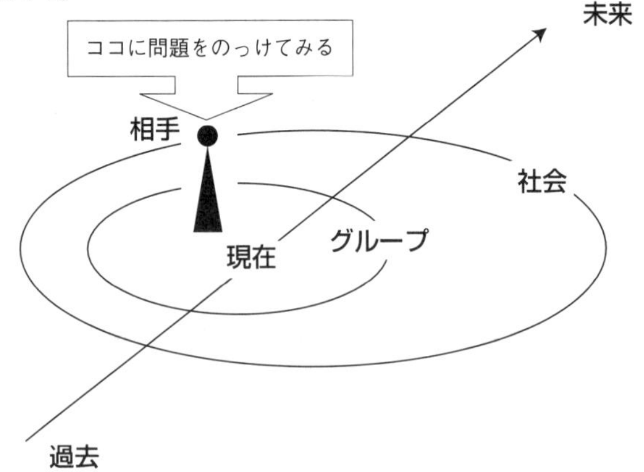

（「グループ」のところは、自分のチーム・セクション・プロジェクトメンバー・会社など、あなたの状況にあてはめて考えよう。）

「つながり」を見つける６つのキー

昨日→今日→明日、私→グループ→社会。その「つながり」に着目して話すと、「意味」が出てくる。

逆を考えてみるとわかりやすい。まったく「つながり」がなかったとしたらどうだろう？

「あなたがこれまでやってきたことと、これからやることはまったくつながってない。これからやることは、あなたの未来にまったく生きない」

「あなたが、これからやる仕事は、うちのチームに影響しない、社会とも関係していかない」

こんな状況で自分の仕事の意味を発見するのは不可能だ。

人に新たな役割を伝えるとき、やってほしいことを断片的に並べるだけでは、やる気を引き出すことはできない。リーダーには「つながり」を見つける力が必要だ。そして、つながりを見つけるときのキーは、次にあげる6つだ。

流れ（過去→現在→未来）

1. 相手の歴史

相手は、これまでどんな仕事をしてきて、現在どのようなかけがえのない個性を持ち、将来どうなっていきたいのか？

2. グループの歴史

グループは、どういう背景を持って、現在どんな問題・可能性を抱えており、どこを目指すのか？

3. 社会の歴史

世の中は、どういう背景を持って、現在どんな問題・可能性を抱えており、将来どうなっていくか？

関係(社会→グループ→相手)

4. 社会とグループ

グループの取り組みは、社会とどう関わっているか？

5. グループと相手

相手がこれからやる仕事は、グループにどう影響するか？

6. 相手と社会

ゆえに、相手がこれからやる仕事は、社会（顧客）とどう関わるか？

以上６つの視野に、これからお願いしようとする「仕事」を乗せてみると、どこかに「意味」が出てくる。６つすべてでなくてもいい。そのうちの１つの意味を盛り込むだけでも、かなり説得力が出てくる。例をあげよう。

〈会社の流れ×相手の仕事〉

今まで、うちは親会社の言いなりだったが、提案型に変えていこうとしている。きみに親会社との窓口をしてもらうのは、そうした会社の将来を見据えてのことだ。きみには、まずよく親会社の状況をよく理解してもらいたい。

→流れの軸で将来とのつながりが見えるのでマル。

きみには、親会社の窓口になってほしい。先方の要望やクレームをよく聞いて、会社に報告すること。

できるだけ先方に足を運んでほしい。地味な仕事だが若さでがんばってもらいたい。
→流れが見えない「断片」なのでバツ。

〈社会×グループの関係〉

これからきみにやってもらう仕事は、5つの地域に向けて、それぞれ地元の協力者を募集し、新しい組織を立ちあげていくことだ。現代では、人のつながりが希薄になって、地域社会が機能しにくくなっている。この仕事は結果的に、地域の人のネットワークをつくる役目も果たす。
→社会とプロジェクトの関係が見えるのでマル。

Lesson 4　思考停止ポイントを発見する

私はある日、知人からこのようなメールをもらった。
「何か話をするときには、お互い心のどっかに揺らぎみたいな物がないと議論にならないな」
自分の頭でものを考えるとは、常に「揺らぎ」続けることでもある。絶対というものを持たず、不安定なまま、自分の内面、まわりの人間や状況に応じて、その場、できる限りのベストな判断をしていこうとすることだ。
ところが、これは、なかなかしんどい作業だ。だから、揺らぎを止めて、ゆるぎないものにどかんと腰を下ろして安心したくなる。
それが「思考停止のポイント」だ。

大きいか、小さいかは別にして、だれにもそういうものがある。あなたの「思考停止ポイント」はどこだろう？

「揺らぎ」を止めてしまうひと言

人によって、さまざまな思考停止のポイントがある。会社では、トップが提示した言葉がよく流行する。顧客第一主義とか、高利益体質づくりとか。トップとはメッセージを発信する役割を担っている人だからそこに罪はない。問題は、それを絶対視して、人に押し付けてしまう社員だ。会議で議論が分かれたときも、企画の決定を出すときも、部下を説教するときでさえ、トップのスローガンを、独自に咀嚼（そしゃく）もせず、そのまま、つきつける。

その言葉が出ると、だれも、何も反論できなくなる。会社員であった私も、人がやっているのを見ると、かっこわるいと思うのだが、気がつくと、自分でも同じことをしばしばやっていた。

カリスマ性のある人のまわりも、やはり思考停止に陥りやすい。「〇〇さんのおっしゃるように……」と、つい、求心力のある人の発言によりかかろうとする。同じことを言うのでも、「私はこう思います」と言うときは、反論されるのでは、とどぎまぎするのに、「〇〇さんもおっしゃるように……」と頭に置いて発言すると、自分でも胸を張って言えてしまう。

自分の内面の正義のようなものも、思考停止ポイントになりやすい。

私の場合は、教育誌の編集を通して、「人は１人ひとりかけがえのないものを持っている、それを生かし、伸ばすサポートをする」という信条がある。そのこと自体は悪ではないのだけれど、文章を書いていて、頭が疲れると、つい、そこに結論を持っていこうとする。つまり、「いま、1人ひとりのかけがえのない個性を生かし……」という、極めて優等生のつまらない文章になってしまう。つまらないだけでなく、そこには「自分の個性や可能性を積極的に生かそうとしない人はよくない」という価値観が無自覚なままに入り込んでしまうので注意が必要だ。

「環境を守る」とか、「男女平等」など、あまりに正しい主義主張でも、自分が寄りかかってしまうと思考停止ポイントになる。

学識やデータも、思考停止のポイントになりやすい。本来は、学識もデータも、もう1歩突っ込んだ「揺らぎ」へ議論を進める助手として、使いこなすものだ。それが、有無も言わせず、相手を言い負かす材料になることがある。その瞬間、自分の揺らぎも止まっている。

それから、自分が連発する言葉にも落とし穴がある。一時、若い女の人が「かわいい」を連発するのがはやった。パンダを見ても、おじさんを見ても、田舎のどびんを見ても、とにかくなんでもかんでも「かわいい」で片付けてしまう。たぶん、「かわいい」といった瞬間に、対象に対する観察、自分の中の揺らぎは止まっている。

編集の新米のころの自分は、いただいた原稿への感想に、「素晴らしい」を連発していた。若い私には、本当に素晴らしいのひと言に尽きたのだ。しかししばらくして、自分にボキャブラリーがないために「素晴らしい」に逃げていることに気がついた。そこで私は、自分に「素晴らしい」使用禁止令を出した。
「素晴らしい」という形容詞が使えないのは、ものすごく苦しいことだった。それにより、いつも以上に時間をかけて原稿をよく読むことが必要になった。どこに魅力があるか？　なぜ魅力があるか？　それをどういう言葉で表現するか？　そういったことを、普段いかに考えてこなかったかがわかった。
「素晴らしい」が私の思考停止ポイントだったのだ。
いまだに、ボキャブラリーはそれほど多くない私だが、この時のトレーニングで飛躍的に語彙は増えた。それだけではない。
よく読んでみると、プロの原稿にだって、欠点があるのだな、ということがわかるようになってきた。でもプロは、そうした穴を持ちつつも全体として、非常に大きな魅力をつくっている。編集の仕事は、原稿の個々の欠点を発見して正し、完成度を高めることではなくて、その人の持っている魅力を思い切って引き出すサポートではないか？というようなことにも気づかされた。本当にささやかなことなのだが、思考停止ポイントを見つけて寄りかからないようにしたことに鍛えられた自分がいた。
だから私は、思考が止まることに敏感だ。会議の場や、人と話しているとき、「ああ、また、そこへ行くか……惜しいなあ」「この人は、それを持ち出すと思考が止まってしまう……もったいないなあ」と生意気にも思ったりする。

その瞬間、自分と相手の間に生まれていた可能性の芽が、絶たれてしまうような気がするからだ。それ以上、いま題材となっていることについて、よく見、よく考えよう、とすることがなくなってしまう。

では、自分の思考停止ポイントは何だろう？　これが、なかなか発見できない。

思考停止ポイントはお守りのようなもの、自分で正しいと思い、自分の中に浸透しているものであるだけに、つい見逃してしまいがちだ。

そこで、ときどき、セルフチェックが必要になる。次にあげるのは、そのための問いだ。

〈自分の思考停止ポイントを発見する問い〉

◇いま自分が、信頼を寄せている存在は？　その人の言うことを咀嚼しないで人に広めていないか？

◇自分が優れていて、他人が劣ると思うのはどんなときか？

◇最近、人に何かを強く勧めたか？

◇会議や会話で自分が連発する言葉はあるか？

◇自分の発言の中で「絶対」をつけるものは何か？

◇自分のモットーは何か？

これらの問いは充分ではないが、思考の動脈硬化に気づくヒントにはなると思う。

第5章 その先の結果へ

Lesson 1　戦略的なコミュニケーション

さて本書で述べてきたことは、戦略的にコミュニケーションを打つということでもある。ゴールをはっきりと描き、相手の性質や、相手から見た自分を読みながら、手を打っていく。

かつて、口は災いのもとで、人が離れたりしていた私も、戦略を考えるようになって、少しずつ結果が出せるようになってきた。交渉が成立したり、難しい人と、うまくやっていけたりすることで、自信も生まれてきた。

ところが、これには、思わぬ落とし穴がある。戦略を誤った努力は虚しい。コミュニケーションにはどんな戦略が有効か？　ここであなたと考えてみたい。

感情を犠牲にするか､孤立するか？

画家の横尾忠則さんが、デザイナーとして会社に勤めていたころのことだ。

〈クライアントに自尊心を傷つけられ〉

……作品が外部に発表される時、なぜかぼくの名前が記されず、チーフの名前で発表された。このことでぼくはやりきれない不満が生じた。……ぼくのアイデアや意見にはクライアントは耳を傾けようともせず、無視した。そのくせぼくのアイデアをチーフが提案した時はいとも簡単に採用された。……

ある日、ふとした彼の言葉がぼくの自尊心を傷つけた。

側にあった写真のパネルでぼくは彼の頭を思い切り力を込めて殴打した。彼は頭をかかえて机に伏したまま動かなかった。クライアントを殴ってしもた、えらいことをしてしもた、どないしよう、これで会社は首や、それだけやあらへん、もうデザイナー生命もこれで終わりや……。

（『横尾忠則自伝』文藝春秋より　一部略）

以前、同じような場面で、私は、まったく反対の行動をとった。クライアントは、ぬらりくらりと質問をかわし、議論にならない。でもだんだん追い詰められると、今度は、私という人間を貶めにかかった。私は、みぞおちのあたりに、どうしようもない感情を抱えつつも、頭だけは妙に冷静だった。

「この交渉のゴールは、相手に、こちらの主張を通すこと。そのために私を信頼してもらうこと」

ゴールと関係のない、向こうの失礼にはじっと耐え、前向きな発言を粘り強く、繰り返した。

最終的に、主張は通った。信頼も得た。結果は出たのだ。

でも翌日、私は、その仕事への興味や意欲を失っている自分に気づいた。それだけではなく、生きるエネルギーみたいなものがしぼんでしまったような気がした。そのとき私は、クライアントとのやりとりからずっと抱き続けていた違和感の正体に気づいた。

私は、戦略をまちがっている。

企業を辞めてフリーになってから、外部との信頼関係を築くのに必死だったから、大局からみたとき、いちばん望む結果を優先し、それ以外を譲るようにしてきた。向こうの感情を害したら、通る主張も通らなくなる。感情は抑え、相手側から見て、共感と信頼を得るよう発信をしていく。

これは、正しいはず……だった。ところが、それと引きかえに相手への興味や、モチベーションがしぼんでいく。

「何をまちがえたのだろう？」

信頼する知人のＪさんに相談したら、とてもいい質問を２つくれた。１つ目の質問、「よく、女は正義感が強く、正しいことばかり言って、うまくいかない、って言われる。あれはなぜだろう？」。これを聞いて、私は、こんな光景をイメージしていた。

〈正しい私〉

予定より１時間遅れてきたＴＶ局のディレクターは、私の履歴書をチラッと見て言った。

「きみサァー、みかけより歳食ってんね」

そのディレクターの企画を、みんなでたたくことになった。私は言った。

「はっきり言ってこの発想はもう古い。二番煎じ、三番煎じだ。それに、視聴者をなめている。どこが問題かというと……」

私は理路セイゼンと説明した。

今でも思う。あの意見は正しかった。

しかし、ディレクターは、怒り狂った。

結局のところ、やっとつかんだ仕事を失った。
ディレクターは誇らしげに言った。
「きみぐらいの構成作家だったらサァー、代わりはいくらでもいるんだから。やっぱ、使い勝手のいい若手にしときゃよかった」
私の人生、こうして孤立していく。
いつも言われる「正義だけでは、渡っていけない」。

発言が的確なあまりに孤立していく人。私は、そういうふうにはなりたくなかった。私はＪさんに答えて言った。
「あなたの言うことは正しい、しかし、あなたという人間はきらいになった……では、状況は動きませんから。相手から自分という人間を信頼してもらい、好きになってもらってこそ、相手の心は動くのだと私は思います。少なくとも私は、そういう戦略をとります」
すると、Ｊさんは、次の質問をなげかけた。
「相手に好かれて、結果を出すんなら、もっとラクな方法がありますよね。山田さんは、なぜ、そんなに苦しんでがんばっているんだろう？」
そうだ。もっとラクで早い方法がある。最近、こんな風景を非常によく見る。

〈まるくなれ〉
偉いおっさんなんて、おだてて、「はい、はい、ハイハイ」って相づち打って、好きなこと、言わせときゃいいのよぉ。
大人になりなよお……、さっさとバカになっちゃった方が勝ちよ。

確かに、この方が、ラクに早く相手に好かれる。でも、どうしても、私はこれができなかった。だからこそ、考え、表現し、伝えることをライフワークにしてきたのだ。

「でもなんのために？」

改めて聞かれるとポカンとした。なんのためにラクな方法をとらず、交渉や説得のたびに、悩んだり、苦しんだり、工夫しようとしつづけるのか？

なぜ、なぜ、なぜ……。

あなたは、意識的・無意識的に、どんなコミュニケーション戦略をとっているだろうか？

感情を犠牲にしても相手の信頼を勝ち取るか？　孤立してでも、言いたいことを言うか？　はたまたまるくなりきるか？

望んでいるのは本当にその結果だろうか？

正直という戦略

「相手に好かれて結果を出すだけなら、もっとラクな方法がありますよね。山田さんは何を苦しんでがんばっているのだろう？」

Ｊさんの質問に、私はポカンとした。私が目指していることは、人が持つ、考える力・伝える力を、生かし伸ばすサポートだ。

そのことに、もう15年以上も命をかけてしまった。確かに、結果を出すだけなら、もっとラクな道がある。なのに、なぜ、自分にも人にも、表現を工夫し続ける道を課しているのだろう？　私の望む結果とは、いったい何なのだろう？

一瞬、自分の存在理由が揺らいだ。

「ひ、人はそれぞれ、かけがえのないものを持っている」。私は、またそれか……と思いながら、ようやっと、Ｊさんに答えを言いかけた。本当にそう思っているのだからしかたがない。次の瞬間、この言葉が口をついて出てきた。

「……だから、自分の考えで、人と関わっていきたい」

と自分で言って、自分で「そうか！」と思った。「自分の考えで」、人と関わりたい。自分の中からわきあがってくる印象、想い、考え。それを通して、話し、行動し、人と関わる。

「それって、すごく自由ですよね」

Ｊさんは、うなずきながら、言った。

自分の想いを語れば、孤立する。自分の考えで行動すれば、打たれる。そのどこが自由なのか、と言う人がいるかもしれない。でもそれは、他ならぬ自分の内面を偽りなく表し、自分として人に関わって、得た結果である。自分を偽ることなく外界と関わっていけるということは、極めて自由なことだと私は思う。

では、自分を偽りさえしなければ人を踏みにじってもいいのか？　孤立してもいいのか？　そうではない。

だからこそ、早いうちから、自分の意志を表現して打たれ、失敗を体の感覚にやきつけていかなくてはならない。表現力を磨き、成功体験を重ね、熟練して、自分の意志で人と関わっていけるようにしていくのだ。そういう自由を私は欲しい。そのための思考力・表現力の鍛錬なのだ。

これは、自分や他者の意志に鈍感になることで、人と和合していく生き方とは、似て非なるものだ。そこに私の考える自由はない。自分の想いを殺して表面的な結果を得ても、それは相手をうそで操作しているだけで、内的な満足にはなり得ない。自分の偽らざる想いを発現させることが、結局は相手に対しても誠実であり、それが相手の心に響き、相手の潜在力を揺り起こしたときにのみ、本当の満足が得られる。そこに人と人が通じ合う歓びがある。

フリーになった私は、外部との信頼関係や仕事がほしいために、自分がなぜ、この仕事を選んだのかという根本思想を見失いかけていた。そして、感情や意志を殺してでも結果を得ようという誤ったコミュニケーション戦略をとってしまった。

改めて、自分に正直であり、かつ、人とつながっていくという私の戦略を見失うまいと決意した。私は、その時々の自分の想いをもう１歩前へ進めて、持てる創造力を尽くして、相手に伝えていこうと思う。

正直という戦略。

文章を書く上でも、正直は、最も有効な戦略だと、私は思う。

さて、横尾さんの話はその後どうなったか、このレッスンの終わりにあげておこう。

取引先のクライアントの宣伝課長をいかなる理由があろうと、ぶん殴るなんて狂気の沙汰だ。たとえ即時解雇されたとしても文句は言えまい。

だけどこの時ばかりは火山のマグマが噴出するように、ぼくの内部から抑えがたい破壊の衝動が起こってきたのだった。……

次の日から会社を休むつもりでいたら、チーフから電話があり、とにかくこのままじゃまずいから会社に出ておいでよ、といわれて翌日クライアントの本社に謝罪に行くことになった。……建物の一室に通された。

この古くて重苦しい暗い雰囲気の部屋がぼくの気持ちを一層落ち込ませた。謝って済むんならくやしいけどそうしようと思っていたら、いきなり相手が謝ってきた。

「横尾ちゃんサー、俺が悪かったよ、謝るネ」

一瞬出鼻をくじかれた感じだった。チーフたちもこの予期しなかった主客転倒劇に虚をつかれたのか、ポカンとした顔をしていた。

この事件を機に、謝罪されたばかりか、逆に先方からぼくにかなり重要な仕事の一部が任されるというようなことになってしまった。

（『横尾忠則自伝』より、＊一部省略改変）

Lesson 2　言葉という不自由な道具

正直という戦略をとる。つまり、自分に忠実でありつつ、かつ人と関わることを目指す。
そのためには、厳しい文章術の鍛錬が必要だ。なぜなら、自分の正直な姿を表すところは、自分の中ではないからだ。自分の中ではない。紙の上でも、パソコン上でもない。「相手の中」だ。
ここに大きな壁が立ちはだかってくる。

> 自分が考えることは、文字や言葉にすることで、最初の思考からは少し離れたものになります。
> 本来感じるべきことを、そういった使い勝手に少し難のある道具を使いながら探りあうのが、人間同士のコミュニケーションなのでしょう。

これは、ある法務教官の言葉だ。その人は、罪を犯した少年に、文章を書かせ、彼らが反省したり、立ち直るのをサポートしている。その、ぬきさしならない現場の経験から出た言葉だ。
自分を表し、人とつながる主な手段として私たちに与えられているのが、この、言葉という不自由な道具なのだ。
だから、相手と向き合ったとき、そこには巨大な誤解ゾーンが横たわっている。互いによく知らないとき、誤解ゾーンは大きく、だんだん気心が知れてくると、誤解ゾーンは縮まってくるものの、依然として、言葉による食い違いはなくならない。入り組んだ話のときは、とんでもない深みへと誤解ゾーンは広がっていく。
先日も、もう6年来のつきあいの大変信頼している友人と、こんな対立があった。

友人は「自立なんかしなくてもいい」と言い、私は「自立は必要だ」と言った。友人はとても優しい人なので口論にはならないものの、でも、静かに確信を持って、私もひかえめに、だが、小論文で鍛えた理屈で応戦し、対立の溝は深まっていく気がした。

これは、根本的な人生観とか、仕事観の違いなのだろうか？　このまま険悪になってはいけないと引っ込めようと思ったが、でも、自分の考えを前に出すことが誠実さだと思い直し、どんどん空気圧が高まる中、やりとりを続けた。そのうちに、「あれ？　私の言ってることも、相手の言ってることも実はそんなに違わないのでは？」と思い始めた。

では、なんだろう？　このモヤモヤと、わかりあえない空気の正体は？

それを考えていったら、文章の基礎的な問題に気がついた。この誤解の正体を、次のレッスン3と4で解き明かしてみたい。

Lesson 3　存在を形づくる「なんか」

コミュニケーションにおいて、人から見られる自分ではなく、自分が目指す自分にあわせようとして表現を練っていくと、相手との溝をとても大きくしてしまうことがある。つまり書き手のこだわりと、読み手が求めていることが乖離（かいり）していくのだ。

最近、経営・人気があまりかんばしくない、団体とか、商品とかの担当者の話を続けて聞く機会があった。

共通して言えることは、彼らが、一般の人がどう思っているか、ということに驚くほど関心がない、知る方法を持たない、ということだった。それどころか、一般人に話を聞くということを明らかにバカにしている人もいた。

では、彼らが、何をたよりにリニューアルをしようとしているか、というと、自分たちのカンのみだ。結果、かわりばえせず、「これ、ふつうの人がふつうに見ればこうじゃないか」という平易なポイントをはずして、すべっていく。

他人事ではない。短いスケジュール、不安の中でものをつくったり発表したりしていると私たちもそういう真空状態になることがある。そして、まわりは「なんか」わかっている。当人たちだけがわからない。こういうときの努力はとても苦しい。

物事を判断するとき、ふつうの目で、ふつうに考えてわかる「なんか」はとても大切だ。しかし渦中にいるとき、人はしばしばそのシンプルな「なんか」を見失う。なぜだろう。

たぶん、自分が一番わかっている、というプライドが邪魔をするからだと思う。窮地に追いこまれたときほど、このプライドを、固く握り締めてしまう。

これと対照的なのが、旧住友銀行の100周年イメージアップのときのエピソードだ。有名な話だから、知ってる人も多いと思う。

銀行というものは「信頼」が命。だから、昔は多くの銀行が、信頼感を出そうとして、できるだけ堅いイメージの売り方をしていた。それで、うまくいかないとなると、「信頼感が足りないのだ！」と、ますます堅い、マークやら封筒やらにしてしまう、という傾向があった。

でも、それは、お客さんが求めていることなのだろうか？

そこで、住友銀行の100周年のクリエイティブディレクター、佐藤雅彦さんは、こんな方法をとった。

まずマーケティングの人にインタビューをとってほしいとお願いしました。それも○×式のアンケートとかじゃなく、ビデオでの一般の人へのインタビュー。で、何十人分ものインタビューを見た結果、普通の人が抱いている住友のイメージが実感できたんですね。しっかりしていて堅くて真面目。裏返すととっつきにくくて、融通がきかない。そこでまず思ったのは、とにかく銀行の敷居を低くしたいということだった。

（『佐藤雅彦全仕事』マドラ出版）

「しっかりしていて堅くて真面目。裏返すととっつきにくくて、融通がきかない」。これが、旧住友銀行に対してみんなが思っていた「なんか」の正体だ。

そこで、「バンクー」という、子どもからビジネスマンにまで愛されるキャラクターを登場させたり、プレミアムをあげたりして、100周年キャンペーンは大成功した。経済学者が首をひねるくらい、新規契約数が増えたのだ。

さて、あなたはどうだろうか？　もしあなたの友人・知人・家族・同僚……が、あなたのことを話しはじめたら。それをビデオにとって何十人分も一気に見たら。

そこから見えてくるのは、どんなあなただろうか？

誤解されるとは、自分の内面を、人がわかってくれないということではなく、自分が、人にどううつっているか認識してない、「なんか」を見失っていることからやってくるズレ。そんなふうにとらえた方がポジティブだ。なぜなら、そう考えれば、自分で変革できるからだ。

周囲が思う「なんかあなただ」というもの、それは、そんなにはずれてない。もしかしたらあなた以上によくわかっているのではないかと、私は思う。ただし、それはもう前提になっていることだから、だれも、わざわざ言葉にしてあなたに伝えることはない。

言葉でコミュニケーションするのは、その先のやりとり。言葉にしてやりとりする必要な問題が生じたからで、周囲のあなたに対する全体的な想いに比べれば、ずっと部分的で小さいものなのだ。

私も、そこで格闘中だ。フリーランスで仕事を続けていくためには、１回１回変わる関係性の中で、なんとか、相手から見た自分をキャッチして、自分のポジションを発見しなければいけない。

会社員のときとまったく同じことをしても、それだけで横柄に取られることだってある。それに気づくのが面白い。

あなたは、まわりからどんなふうに見えているか、どうやってつかんでいるだろうか。

１人の人間が語る言葉や文章の背後には、その人の存在を形づくる、構造的な「なんか」が常にひかえているのだ。

Lesson 4　誤解されずに想いを伝える

私と友人は、「自立」をめぐって、真っ向から対立していた。友人は、「自立なんかしなくても」と言い、私は、「自立はするべきだ」と言う。

ところが、議論を進めるうちに、２人が言っていることが、そんなに違わないような、だんだん、ヘンな気持ちがしてきた。この対立の原因、なんだか分かるだろうか？

キーワードの定義だ。

つまり、同じ「自立」という言葉を使っていても、こめた意味が、友人と私とでは違う。友人は、平たく言えば「自己完結。１人で全部やる」というような意味で言っていた。私は、「どんなに自立した人間でも、１人では生きられない。依存を知ることも自立」と思っている。

だから、生きる上で、人と人の協力が不可欠、という点で、２人は一致していたのだ。

言葉は不自由な道具である。

会話や文章に何回も登場する言葉、あるいは、重要な役割をする言葉、これが「キーワード」だ。キーワードは、相手がどんな意味で使っているか、正確に押さえなければいけない。

映画を観終わった、恋人同士が、

「リアルだったなあ」

「ええ？　リアルじゃないよ、あそこの展開、現実にはありえない、不自然よ」

「お前は、リアルっていうものがわかってない」

なんてケンカをしているのも、何がリアルか？　言葉の定義が２人の間でブレているからだ。

「営業なんて、所詮、女には無理だよ」などと、ふとどきなことを言う奴がいても、焦って、すぐ反論してはいけない。「ここで言う営業とは、どんな内容の仕事を指して言ってらっしゃいますか？」と、相手の定義を押さえてからにしよう。

相手の発言や文章についてコメントを返すときも、「リアリティ」とか、「自由」とか、「幸福」とか、「自立」とか、「価値」とか、人によって定義がブレる言葉は、相手のものをオウム返しにつかうと危険だ。

「リアリティ、ここで私は、……ほどの意味で使いますが」と、自分の定義を断っておくか、最初から、平たい、自分の言葉に言いかえておくと誤解されない。

レッスン３で述べてきたように、言葉によって表現されている問題は、あなたと相手との大きな関係の中では、あくまで「部分」にすぎない。背景には常に相手が、あなたに思う「なんかあなただ」という全体があって、言葉で語られているのは、言葉にして確認しなければならない必要か問題のある、ごく一部のことだ。

そして、多くの人は、相手からどう思われているか？を知る手立てなく、不安を感じている。

だから、文章を書くときも、その構造の存在を意識し、配慮するだけで、誤解のリスクをかなり減らすことができる。

つまり、部分的な問題を切り出す前に、できるだけ、全体的な、相手に対する日ごろの想いを、前面に出していくのだ。

例えば、仕事のフィードバックをするときも、いきなり、「すいません、ここに問題が１つ……」と書き出さず、もっと、全体的な相手への気持ちから入ってみる。

「いつも、こちらの意図を汲み取った仕事をしてくださって、大変頼もしく想っています。今回のお仕事も、全体としてとてもいい、私は好きです」と頭に書いて、そのあとで、「瑣末なことですが、ここに問題が１つ……」と切り出していくと、誤解なく伝わるはずだ。

「いまさら言うまでもないことだ」とか、「照れるから」と言って逃げず、恐れず、私は、日ごろあなたをこう見ている、あなたの仕事を私はこう受け取っている、という根本思想をコミュニケーションのはじめのところではっきりと示していこう。

そうすれば、大切な人とのコミュニケーションは、もっとずっとブレなく、スムーズになっていくはずだ。

エピローグ

あなたと私が出会った意味

あなたが好きな人に、プレゼントをあげるとしたら、次の、どの方法を採るだろう？

1. 自分があげたいものをあげる。
2. 相手に「何が欲しい？」と聞くか、事前に趣味をよく調べ、相手が欲しがっているものをあげる。
3. 相手のこれまでの趣味にない、新しい引出しを開けるようなものをあげる。

本書のラストとして、読み手を動かすメッセージとはどのようなものか？　プレゼントの３つの方法を手掛かりに考えてみたい。

17歳へ向けた教育誌の編集をしていた私は、表紙に力を入れていた。表紙は１冊の中で、読者に最初に放つメッセージだ。

編集者になりたてのころ、恐れを知らぬ私は、自分の感性だけで表紙をつくってしまったことがある。候補写真から、最終的に私が好きなものを選ぶ。プレゼントで言えば、１の、「これ、私が好きだから、あなたも好きでしょ」という発想。当然ながら、私は気に入った表紙になった。だが、読者はどうだったのだろう？

やがて、読者の17歳について、アンケートや実際に会うなどして、よく知るようになった。創り手と読み手は、世代も感性も違う。読み手に歓ばれるものにしなければ、ということに私もやっと気づいてきた。

そこで、読者の感性で表紙をつくろうと思い立った。

毎月、十数名の17歳とサンプルを見ながら話し、相手の感性に合わせて表紙をつくっていく。プレゼントで言えば、相手のほしいものは相手に聞いてみなくてはわからないという発想。この方法を続けていくと、17歳の感覚が染み込むようで、聞かなくても好みが予想できるようになる。

こうしてつくった表紙は嫌われるはずもなく、好感度が前年より驚くほどアップした。

ところが、1年もしないうちに、私は行き詰まりを覚えはじめた。

自分という存在が関わる意味

相手に聞いて、相手の要求にはまったプレゼントをあげるということは、裏を返せば、「相手は放っておいても自分でそれを買ったかもしれない」ということだ。

自分という存在が、関わる意味は何だろう？

私が感じた行き詰まりは、まさにそれだった。17歳に聞いて出てくる感性は、すでに相手の生活にあふれている。それをどんどん追っていくと、私たちがつくるものは、結局、新鮮でも何でもない、相手の日常に埋没してしまう。

コミュニケーションのために、相手をよく知り、理解することは大事だ。だが、問題はその先、「だから、どうするか？」だ。

例えば、相手はモノトーンが好み、いつも白黒ばかり着ているという場合、あなただったら何をあげるだろう？　きっと似合うだろうと考えて、あえて「赤」

をあげてみるのはどうか。相手が、「今まで赤を着たことはなかったけれど、意外によかった。なんだか、新しい自分を発見したような気がする」と言ってくれたら、とてもうれしい。

つまり、自分という存在が関わることで、相手の新たな引出しを開けるのだ。もちろん、このやりかたは、はずれることもあるし、押し付けになることもある。だからこそ、慎重に、勇気をもって、自分が相手に向きあう意味がある。

そう気づいた私は、「メッセージ性のある表紙」をつくろうと考えた。自分たち大人が17歳に向きあったとき何が言えるか？　何を伝えたいか？

翌年、「自分らしさを解放してほしい」という編集部から17歳へのメッセージを込めた表紙ができあがった。毎回、多様な生き方・考え方の17歳を表紙に映し出したのだ。

これですばらしい表紙の誕生……となればいいのだが、そうはいかなかった。

メッセージを伝える

あまり主張のない、かわいいきれいな花や空の写真は、万人に好まれる。一方、何かメッセージを伝えようとすると、「うざい」という読者も出てくる。

案の定、メッセージ性のある表紙の評価は、好感度路線のものから大きく下がってしまった。感想も「いい」と「悪い」の真二つ。こういうとき、どう考えたらいいのだろうか？

いいか、悪いかの数よりも、その理由が問題だと思う。アンケートを見ると、悪いと言っている子の理由は浅い。「表紙はイラストがいい」「芸能人じゃない人が出るのはイヤ」「ムカツク」。

一方、いいと言う子の意見は深い。「私らしさというのを確立し、それを伸ばしていくというのは、大変だけどとても大切なことだと思った」「つくづく世の中は自分と同じように見えて、いろいろなバックグラウンドを持った人がいるなと思った」などだ。半数の子にはちゃんとメッセージが伝わっている。これは、経験を積んだ大人が関わってこそ、得られる反応だと思った。

他にない、自分らしいメッセージを創り出し、それが読み手に届く形になるまでには、熟練が必要だ。時間もかかる。私たちは、この路線を諦めず、読者の反応を見ながら、じっくりじっくりコミュニケーションしていく道を選んだ。

結局、この表紙は回を追うごとに、尻上りに評価が伸びていき、不思議なことに２年後には、数字の面でも好感度路線のものより支持されるようになった。

最初は、芸能人以外の人間が表紙に登場するだけで拒否反応を示していた読者が、回を追うごとに、表紙に登場する多様な17歳の個性の前に立ち止まるようになり、向き合い、反応するようになっていった。十代に、私が関わる意味がそこにあった。

あなたにしか書けない、かけがえのないもの

常に読み手にとって心地よいことを書いていけば、相手に嫌われないが、それでは書く意味を見失い、読

む側の興味も失せてしまう。

相手という個性に、自分として向き合ったとき、自分の中に湧き起こってくるものがある。その相手だからこそ言いたいこと。自分にしか言えないこと。そういうものに、私たちはもっと忠実になっていいと思う。

多くの場合、それは自分と相手のギャップによって生じるメッセージだから、ときに相手に歓迎されず、違和感やざらつきを与えるかもしれない。

それでも違和感という形で、ときに反発という形で、相手の潜在力を揺り動かすことができれば、相手を生かし、自分を相手の中に生かしたことに他ならない。

自分にしか書けないもので、互いの潜在力が生かされるとき、相手とあなたが出会ったことは意味を持つ。あなたが書くものは、相手にとってかけがえのない意味を持つのである。

あなたには書く力がある。

本気でそれを伝えるために私はこの１冊を書いた。読んでくれてありがとう。

あなたの書いたものに、私はいつ、どんな形で出会えるだろうか？

PHP新書
PHP INTERFACE
http://www.php.co.jp/

山田ズーニー［やまだ・ずーにー］

1984年ベネッセコーポレーション入社。小論文通信教育の企画・編集・プロデュースに携わる。1995年それまでの進研ゼミ式小論文指導理論を統合するオリジナルメソッドの開発を担当。通信教育誌『encollege小論文』の編集長として、高校生の考える力・書く力の育成に尽力する。2000年独立。講演・執筆活動のほか、総合的学習時間等の授業企画、教育ソフトのコンテンツ開発などを手がける。人が持つかけがえのない力を生かし、伸ばすサポートをするのがライフワーク。

著書に『あなたの話はなぜ「通じない」のか』（筑摩書房）。糸井重里氏のインターネットサイト『ほぼ日刊イトイ新聞』http://www.1101.com に「おとなの小論文教室」を連載中。

伝わる・揺さぶる！ 文章を書く （PHP新書 180）

二〇〇一年十一月二十九日 第一版第一刷
二〇〇四年 九 月 九 日 第一版第十二刷

著者——山田ズーニー
発行者——江口克彦
発行所——PHP研究所
東京本部——〒102-8331 千代田区三番町3-10
新書出版部 ☎03-3239-6298
普及一部 ☎03-3239-6233
京都本部——〒601-8411 京都市南区西九条北ノ内町11
制作協力 組版——PHPエディターズ・グループ
装幀者——芦澤泰偉＋野津明子
印刷所 製本所——図書印刷株式会社

ISBN4-569-61736-0

ＰＨＰ新書刊行にあたって

「繁栄を通じて平和と幸福を」（PEACE and HAPPINESS through PROSPERITY）の願いのもと、ＰＨＰ研究所が創設されて今年で五十周年を迎えます。その歩みは、日本人が先の戦争を乗り越え、並々ならぬ努力を続けて、今日の繁栄を築き上げてきた軌跡に重なります。

しかし、平和で豊かな生活を手にした現在、多くの日本人は、自分が何のために生きているのか、どのように生きていきたいのかを、見失いつつあるように思われます。そして、その間にも、日本国内や世界のみならず地球規模での大きな変化が日々生起し、解決すべき問題となって私たちのもとに押し寄せてきます。

このような時代に人生の確かな価値を見出し、生きる喜びに満ちあふれた社会を実現するために、いま何が求められているのでしょうか。それは、先達が培ってきた知恵を紡ぎ直すこと、その上で自分たち一人一人がおかれた現実と進むべき未来について丹念に考えていくこと以外にはありません。

その営みは、単なる知識に終わらない深い思索へ、そしてよく生きるための哲学への旅でもあります。弊所が創設五十周年を迎えましたのを機に、ＰＨＰ新書を創刊し、この新たな旅を読者と共に歩んでいきたいと思っています。多くの読者の共感と支援を心よりお願いいたします。

一九九六年十月

ＰＨＰ研究所